KL♥NE
E
EU

Obras da autora publicadas pela Record

Acidente
Agora e sempre
A águia solitária
Álbum de família
Amar de novo
Um amor conquistado
Amor sem igual
O anel de noivado
O anjo da guarda
O apelo do amor
Ânsia de viver
Asas
O beijo
O brilho da estrela
O brilho de sua luz
Caleidoscópio
Casa forte
A casa na rua Esperança
O casamento
O chalé
Cinco dias em Paris
Desaparecido
Um desconhecido
Desencontros
Doces momentos
Entrega especial
O fantasma
Final de verão
Forças irresistíveis
Galope de amor
Honra silenciosa
Imagem no espelho
Jogo do namoro
Jóias
A jornada
Klone e eu
Maldade
Meio amargo
Mergulho no escuro
Momentos de paixão
Um mundo que mudou
Passageiros da ilusão
Pôr-do-sol em Saint-Tropez
Porto seguro
Preces atendidas
O preço do amor
O rancho
Recomeços
Relembrança
Resgate
O segredo de uma promessa
Segredos de amor
Segredos do passado
Segunda chance
Tudo pela vida
Uma só vez na vida
Vale a pena viver
A ventura de amar
Zoya

DANIELLE STEEL

KLONE E EU

Tradução de
HEITOR PITOMBO

3ª EDIÇÃO

EDITORA RECORD
RIO DE JANEIRO • SÃO PAULO
2009

CIP-Brasil. Catalogação-na-fonte
Sindicato Nacional dos Editores de Livros, RJ.

S826K Steel, Danielle, 1948-
3ª ed. Klone e eu / Danielle Steel; tradução de Heitor
Pitombo. – 3ª ed. – Rio de Janeiro: Record,
2009.

Tradução de: The klone and I
ISBN 978-85-01-05437-1

1. Romance norte-americano. I. Pitombo,
Heitor. II. Título.

00-0164
CDD – 813
CDU – 820(73)-3

Título original norte-americano
THE KLONE AND I

Copyright © 1998 by Danielle Steel

Todos os direitos reservados. Proibida a reprodução,
no todo ou em parte, através de quaisquer meios.

Direitos exclusivos de publicação em língua portuguesa para o Brasil
adquiridos pela
EDITORA RECORD LTDA.
Rua Argentina 171 – Rio de Janeiro, RJ – 20921-380 – Tel.: 585-2000
que se reserva a propriedade literária desta tradução

Impresso no Brasil

ISBN 978-85-01-05437-1

PEDIDOS PELO REEMBOLSO POSTAL
Caixa Postal 23.052
Rio de Janeiro, RJ – 20922-970

EDITORA AFILIADA

Para Tom Perkins,
e suas muitas faces,
Dr. Jekyll, Mr. Hyde,
e Isaac Klone, que,
de todos eles, fornece as melhores
jóias...
mas acima de tudo, para Tom,
por ter me dado o Klone,
e tantos bons momentos.

                          Com todo o meu amor
                                      d.s.

Capítulo Um

Meu primeiro e até então único casamento acabou exatamente dois dias antes do Dia de Ação de Graças. Lembro-me perfeitamente. Estava deitada no chão de nosso quarto, metade do corpo embaixo da cama, procurando por um sapato, vestindo minha camisola de flanela favorita na altura do pescoço, quando meu marido adentrou, usando uma calça esporte cinzenta e um *blazer*. Como sempre, ele mantinha um ar imaculado, vestido de forma impecável. Ele disse algo vagamente ininteligível no momento em que encontrei os óculos que estava procurando por dois anos, um bracelete plástico fluorescente que eu não sabia que estava sumido e um tênis vermelho que deve ter pertencido ao meu filho, Sam, quando era um bebê dando os seus primeiros passos. Sam estava com seis anos no momento em que encontrei o calçado perdido. Muito para uma limpeza completa em nossa casa. Aparentemente, nenhuma das várias faxineiras que tive olhava embaixo das camas.

Quando me levantei, Roger olhava para mim e, educadamente, ajeitei a camisola. Ele me contemplou de um jeito embaraçadamente formal quando relanceei para ele; o topo do meu cabelo estava arrepiado para cima devido à incursão que fizera debaixo da cama.

— O que você disse? — perguntei com um sorriso, sem notar que uma das passas dos bolinhos que comi uma hora antes estava delicadamente alojada ao lado do meu dente canino superior. Só descobri isso meia hora mais tarde, quando meu nariz ficou vermelho de tanto chorar e acabei indo me ver no espelho. Mas a essa altura da saga, eu ainda estava sorrindo, sem a menor idéia do que estava por vir.

— Eu pedi para você se sentar — disse ele, olhando com interesse para minha roupa, meu cabelo e meu sorriso. Sempre achei difícil discutir qualquer coisa inteligente com um homem quando ele está vestido para ir a Wall Street, e eu estava vestindo uma das minhas muito amadas camisolas. Meu cabelo estava lavado, mas não tivera tempo para penteá-lo desde a noite anterior. Minhas unhas estavam cortadas e também limpas, mas desistira de usar esmalte a partir de determinado momento na época da faculdade. Achava que o fato de não usá-lo me fazia parecer mais inteligente. Além do mais, dava muito trabalho. Afinal de contas, eu era casada. Naquela altura, ainda vivia na ilusão de que as mulheres casadas não precisavam se esforçar muito. Parece que eu estava completamente enganada, como só vim a descobrir alguns momentos mais tarde.

Sentamo-nos de frente um para o outro nas duas cadeiras forradas de cetim ao pé de nossa cama, enquanto eu pensava mais uma vez como fora estúpido tê-las ali. Elas sempre me davam a impressão de que tivéssemos de sentar nelas para negociar a ida para a cama. Mas Roger disse que gostava delas daquele jeito, pois aparentemente o lembravam de sua mãe. Nunca refletira sobre aquela afirmação em busca de um significado mais profundo, o que era, talvez, parte do problema. Roger falava muito sobre a mãe.

Ele parecia ter algo importante a me dizer, enquanto eu

abotoava cuidadosamente a camisola, lamentando que ainda não tivesse vestido camiseta e *jeans*, a combinação que usava a maior parte do tempo. *Sex appeal* não estava em primeiro lugar na minha lista de prioridades. As responsabilidades, meus filhos e ser a esposa de Roger eram mais importantes para mim. Sexo era algo que ainda fazíamos de vez em quando. E, àquela altura, não era uma atividade constante.

— Como vai você? — perguntou Roger enquanto eu novamente dava um sorriso forçado, um tanto nervoso, ao passo que, indubitavelmente, o pequeno e nocivo resíduo de passa ainda cintilava maliciosamente para ele.

— Como estou? Bem, acho. Por quê? Como pareço estar? — Pensei que ele talvez estivesse querendo dizer que eu parecia estar doente ou coisa que o valha, mas do jeito como as coisas acabaram acontecendo, isso veio mais tarde.

Sentei-me, esperando ansiosamente para ouvi-lo dizer que havia recebido um aumento, perdera o emprego, ou estava me levando para a Europa, como costumava fazer quando tinha tempo disponível. Às vezes, ele apenas me levava de surpresa para fazer uma viagem, o que era normalmente a tática que usava para me dizer que havia sido despedido. Mas ele não estava com aquele olhar envergonhado. Desta vez não era o seu emprego ou férias, era um tipo diferente de surpresa.

A camisola parecia um pouco frágil enquanto nos sentávamos nas cadeiras de cetim, eu deslizando lenta e desconfortavelmente para a frente. Havia me esquecido de quão escorregadias elas eram, já que tinha como regra nunca sentar nelas. Havia várias pequenas lágrimas na velha roupa de flanela que eu estava usando, nada muito revelador evidentemente; e como sinto frio à noite, vestia uma camiseta surrada por baixo. Era um visual que sempre me caiu bem durante os meus treze anos de casamento. Treze anos de sorte, ou pelo menos tinham sido até então. E enquanto eu sentava olhando em sua direção, Roger me parecia tão familiar quanto minha camisola. Era como se eu sempre tivesse sido casada com ele. E eu fora e, claro, sabia que sempre seria. Eu havia crescido com ele, conhecia-o desde criança, e ele fora meu melhor amigo por anos, o único ser humano em quem eu realmente confiava no mundo. Sabia que, quaisquer que fossem as falhas que tivesse, e houve algumas, ele nunca iria me magoar. Ficava mal-humorado de vez em quando, como acontece com a maioria dos homens, tinha dificuldade para se fixar num emprego, mas nunca me magoara seriamente e nunca fora medíocre.

Roger nunca se tornara um sucesso retumbante em sua carreira. Tão logo casamos ele fez algumas incursões pela publicidade, realizou alguns trabalhos na área de *marketing* depois disso e investiu numa série de jogadas menos do que estelares. Mas nunca me importei realmente com isso. Ele era um bom homem, e era bom para mim. Eu queria permanecer casada com ele. E graças ao meu avô, que abriu um fundo de crédito para mim antes de morrer, sempre tivemos dinheiro suficiente não só para superar as adversidades, como para viver bem confortavelmente. O fundo de crédito do vovô não só proveu bem a mim, a Roger e as crianças, como me permitiu ser compreensiva em relação aos erros financeiros que Roger cometia. Falando francamente, como eu já tinha visto anos atrás: quando se tratava de fazer dinheiro ou manter um emprego por mais de um ano ou dois, Roger não tinha a capacitação necessária. Mas tinha outras coisas. Ele era ótimo com as crianças, gostávamos de ver os mesmos programas na TV, adorávamos passar nossos verões em Cape, tínhamos um apartamento em Nova York que ambos amávamos, ele me deixava escolher os

Klone e eu

filmes aos que íamos assistir uma vez por semana, não importava quão ingênuos fossem, e tinha belas pernas. E quando dormíamos um com o outro na faculdade, pensava que Casanova empalideceria em comparação com ele na cama. Foi com ele que perdi minha virgindade. Gostávamos do mesmo tipo de música, e ele cantava no meu ouvido quando dançávamos. Era um grande dançarino, um bom pai e meu melhor amigo. E o que importava se ele não conseguia se segurar num emprego? Vovô me dera essa oportunidade de mão beijada. Nunca me ocorreu que eu podia ou devia ter mais do que tenho. Roger era suficiente para mim.

— O que é que há? — perguntei alegremente, cruzando uma perna nua sobre a outra. Eu não as depilava há semanas, mas, afinal de contas, era novembro e eu sabia que Roger não se importava. Eu não estava indo à praia, apenas falando com Roger, sentada ao pé de nossa cama naquelas ridículas cadeiras forradas de cetim, esperando para ouvir a surpresa que ele me reservava.

— Há algo que preciso lhe dizer — falou ele, olhando-me com cautela, embora soubesse secretamente que eu estava ligada a um dispositivo explosivo, e estivesse esperando que eu fosse voar pelos ares em um milhão de pedaços. Mas, descontando as pernas não depiladas e a casca de passa nos meus dentes, eu me mostrava relativamente inofensiva, como sempre fui. Sou bem centrada, vejo as coisas na esportiva na maior parte das vezes, e nunca fiz muitas perguntas. Eu e ele nos relacionávamos melhor do que a maior parte de nossos amigos, ou assim eu pensava, e era grata por isso. Sempre soube que estaríamos juntos pela longa estrada da vida, e imaginava que passar cinqüenta anos ao lado de Roger não seria mau negócio. Não para ele certamente. E nem mesmo para mim.

— O que é? — perguntei amorosamente, imaginando se, afinal de contas, ele havia sido despedido. Se fora, certamente não seria novidade para nenhum de nós. Havíamos superado situação semelhante antes, embora ultimamente ele parecesse querer manter uma postura defensiva em relação a isso; e eu notara que seus trabalhos se reduziam paulatinamente. Ele achava que o patrão estava pegando no seu pé, que seus talentos nunca eram valorizados, e que "simplesmente não havia sentido em pegar qualquer outro trabalho medíocre". Imaginava que mais um desses momentos se aproximava, pois notei que nos últimos seis meses ele andava mais rabugento do que o normal. Questionava-se sobre por que devia trabalhar, e andava falando em passar um ano na Europa comigo e com as crianças, ou em tentar escrever um roteiro para cinema ou um livro. Ele nunca antes mencionara algo semelhante até recentemente, e eu achava que era decorrência de alguma espécie de crise de meia-idade e que ele estivesse contemplando uma mudança de vida; da rotina de um escritório para a "atividade artística". Se fosse o caso, o fundo de crédito do vovô também teria que nos segurar durante essa fase. De qualquer maneira, para não intimidá-lo, jamais mencionei seus freqüentes fracassos e incontáveis empregos, ou o fato de meu falecido avô vir sustentando a família durante anos. Eu queria ser a esposa perfeita para ele e, mesmo que ele não fosse o mago de Wall Street, coisa que jamais prometera ser, eu ainda o considerava um bom sujeito.

"O que há, querido? — perguntei, estendendo uma mão em sua direção. Mas, por orgulho, ele não me deixou tocá-lo. Agia como se estivesse a ponto de ir para a cadeia por ter molestado alguém sexualmente, ou como se estivesse se expondo em uma de suas rodas de amigos, e acanhado em me dizer por quê. E então ele veio. O Grande Comunicado de Roger.

Klone e eu

— Acho que não amo você. — Ele me fitou direto nos olhos, como se neles estivesse procurando um estranho e falando com essa pessoa, em vez de comigo, que vestia uma camisola amarrotada e tinha uma passa presa nos dentes.
— O quê?! — As palavras saíram de mim como um foguete.
— Eu disse que não te amo. — Ele me olhou como se quisesse dizer exatamente isso.
— Não, não é verdade. — Olhei de volta para ele, enquanto meus olhos se apertavam. E por nenhum motivo no mundo lembro-me de ter notado que usava a gravata que eu lhe dera no último Natal. Por que diabos ele precisava colocá-la só para dizer que não me ama? — Você disse que *pensa* que não me ama, não que "você não me ama". Há uma diferença. — Sempre brigávamos por motivos tolos como aquele, coisas pequenas, como quem havia bebido o resto do leite e quem havia esquecido de desligar as luzes. Nunca discutimos sobre coisas importantes, do tipo como criar nossos filhos ou para que escola eles vão. Não havia qualquer motivo para brigas. Eu me responsabilizava por tudo. Ele sempre estava muito ocupado, jogando tênis ou golfe, ou indo pescar com os amigos, ou sofrendo com a pior febre da história, para discutir comigo sobre as crianças. Ele tinha consciência de que aquele era o meu domínio. Ele pode ter sido um grande parceiro para dançar, e por vezes muito divertido, mas responsabilidade não era o seu forte. Roger cuidava mais de si do que de mim, mas por treze anos, de algum jeito, tentei não ligar para isso. Tudo o que eu queria era me casar na época certa e ter filhos. Roger realizou os meus sonhos. E, inegavelmente, tivemos belos filhos. Mas o que eu não notara até aquele ponto era quão pouco ele fizera por mim.

"O que aconteceu? — perguntei, lutando contra uma onda

crescente de pânico que pairava sobre o que ele acabara de dizer. Meu marido "achava" que não me amava. Como isso se encaixava no esquema das coisas?
— Não sei — disse Roger, parecendo aborrecido. — Apenas olhei à volta e descobri que aqui não é o meu lugar. — Isso era bem pior do que ele ficar desempregado. Parecia que estava a ponto de me despedir. E me olhava como se fosse fazê-lo.
— Aqui não é o seu *lugar*? Do que está falando? — perguntei, inclinando-me cada vez mais para fora da cadeira de cetim e me sentindo súbita e inacreditavelmente grotesca em minha camisola. Em algum momento dos últimos dez anos, eu devia ter separado uma hora para comprar outras novas, pensei. — Você mora aqui. Nós nos amamos, temos dois filhos, pelo amor de Deus. Roger... você está bêbado? Está usando drogas? — Então, de repente, imaginei: — Talvez deva estar nessa. Prozac. Zoloft. Midol. Alguma coisa assim. Você está doente? — Eu não tentava descartar o que ele dissera, só não tinha entendido. Era a idéia mais louca que ele expusera até então. Mais até do que dizer que iria escrever um livro ou um roteiro para cinema. Em treze anos de casamento, eu nunca soube que tivesse escrito uma simples carta.
— Estou bem. — Ele me fitou com o olhar vazio, como se não me conhecesse mais, embora já me tivesse tornado uma estranha para ele. Estendi o braço para tocar sua mão, mas ele não me deixaria fazê-lo.
— Steph, estou falando sério.
— Você não pode estar falando sério — repliquei, com lágrimas escorrendo dos olhos e de repente descendo pelas maçãs do rosto mais rápido do que eu podia secá-las. Instintivamente, levei a bainha da camisola ao rosto e percebi que ela ficara negra. O rímel que eu usara na véspera borrava agora todo o

Klone e eu

meu rosto e a camisola. Um belo quadro. Bastante convincente. — Nós nos amamos, isso é uma loucura... — Eu queria gritar com ele. — Não pode fazer isso comigo, você é o meu melhor amigo. — Mas, num piscar de olhos, já não era mais. Em questão de minutos, tornara-se um estranho.
— Não, isso não é loucura. — Seus olhos pareciam vazios. Ele já se fora e, naquele preciso momento, eu já sabia disso. Meu coração parecia ter sido atingido por um aríete, que não apenas o partiu em pedaços como o trespassou.
— Quando foi que tomou essa decisão?
— No último verão — disse ele calmamente. — No Quatro de Julho — acrescentou com precisão absoluta. O que eu fizera de errado no Quatro de Julho? Eu não estava dormindo com nenhum de seus amigos, não havia perdido nenhuma das crianças até então. Meu fundo de crédito não havia acabado e não iria se esgotar pelo resto de nossas vidas. Qual era o problema dele, afinal? E sem o fundo de crédito do vovô e minha atitude compreensiva quanto aos empregos que ele perdia, como achava que ia comer?
— Por que o Quatro de Julho?
— Só soube quando olhei para você e vi que tudo estava acabado — disse ele calmamente.
— Por quê? Há mais alguém? — Eu mal podia falar e ele pareceu magoado com o que eu dissera.
— Claro que não. — Claro que não. Meu marido por treze anos me diz que não me ama mais e nem sequer posso levantar suspeitas sobre uma rival com seios enormes e que se lembra de depilar as pernas numa freqüência maior do que a mudança das estações. Alto lá, eu não sou totalmente repugnante, nem sou coberta por casacos de pele, nem tenho um bigode. Mas admito agora, ao rever aquele momento doloro-

so, que fiquei um pouco descuidada. As pessoas não vomitavam quando eu passava por elas na rua. Os homens ainda me achavam atraente nas festinhas. Mas com Roger... talvez... eu tivesse me tornado um pouco menos do que atenciosa. Eu não era gorda nem nada, só não me arrumava muito em casa, e minhas roupas para dormir eram um pouco estranhas. Então me processe. Ele o fez.

— Você está me deixando? — perguntei, parecendo estar desesperada. Eu não podia crer que aquilo estivesse acontecendo comigo. Por toda a minha vida adulta e de casada eu desdenhara as mulheres que perdiam seus maridos, ou seja, aquelas cujos cônjuges pediram o divórcio. *Aquilo* nunca poderia acontecer comigo, nem iria. Eu estava a ponto de descobrir que podia acontecer, havia acontecido, e acontecia naquele exato momento, quando meu corpo deslizou quase que completamente da maldita cadeira coberta de cetim no meu próprio quarto, com Roger me olhando como se fosse um estranho, e eu fosse uma pessoa com a qual ele não tivesse sido casado por treze anos. Ele me olhava como um ser de outro planeta.

— Acho que sim — foi a resposta seca.

— Mas *por quê*? — A essa altura eu começava a soluçar. Estava convencida de que ele havia me matado, ou estava tentando. Jamais fiquei tão assustada em toda a minha vida. O *status* e o homem que foram minha identidade, minha segurança, minha vida, estavam por desaparecer. E então quem eu seria? Ninguém.

— Tenho que ir embora. Eu preciso. Não posso respirar aqui. — Nunca havia notado que ele tivesse qualquer problema respiratório. Ele respirava bem, pelo que eu podia ver. De fato, roncava como um Zamboni num rinque de patinação. Eu bem que gostava. Para mim, seu ronco soava como um longo

Klone e eu

ronronar de um gato. Mas, afinal de contas, não era eu que estava indo embora, era ele. — Os meninos estão me deixando maluco — explicou. — É muita pressão o tempo todo, muita responsabilidade... muito barulho... muito tudo... e quando olho para você, vejo uma estranha.

— Eu? — perguntei, com um olhar de espanto. Que estranha iria desfilar pela casa com o cabelo despenteado, pernas por depilar e uma camisola de flanela rasgada? Estranhas usavam minissaias minúsculas, sapatos de salto alto fino e suéteres apertadas sobre enormes implantes de silicone. Aparentemente, ninguém lhe dissera.

"Nós não somos estranhos. Eu o conheço há dezenove anos, Roger, você é o meu melhor amigo. — Mas não era mais. — Quando vai embora? — Consegui sufocar as palavras, enquanto o rímel negro ainda escorria por toda a minha camisola. Não era um quadro muito bonito. *Patético* mal chegava a defini-lo. *Grotesco* era mais correto. *Revoltante* dizia tudo. Eu devia estar parecendo nada menos do que repugnante e, para realçar o tom romântico da cena, meu nariz começou a escorrer.

— Eu pensei que iria ficar durante as férias — disse Roger com altivez. Isso foi gentil da parte dele, imagino, mas também significava que eu tinha aproximadamente um mês para me ajustar a isso, ou convencê-lo a desistir de ir embora. Talvez umas férias no México... Havaí... Taiti... ilhas Galápagos resolvessem a situação. Algum lugar quente e *sexy*. No momento, eu tinha certeza de que ele não teria absolutamente nenhum problema em me imaginar numa praia de qualquer parte, vestindo uma camiseta e uma camisola de flanela. — Estou me mudando para o quarto de hóspedes. — Ele parecia e soava como se quisesse dizer exatamente isso. Era o meu pior pesadelo. O impossível acontecera. Meu marido estava me deixando, e acabara de dizer que não me amava mais. Consegui então enlaçar seu pescoço e espalhei o que sobrava do rímel pelo imaculado colarinho de sua camisa. As lágrimas caíram em seu *blazer* sem ser notadas, e meu nariz correu por sua gravata, enquanto ele cautelosamente me segurou, como se fosse um caixa de banco receando chegar muito perto do assaltante com bananas de dinamite afixadas por todo o corpo. A única coisa óbvia era que não queria ficar perto de mim.

 Em retrospecto, não tenho certeza de tê-lo culpado. Olhando para trás, também percebo quão pouco contato tivéramos por um longo tempo. Naqueles dias, fazíamos amor uma vez a cada dois ou três meses, às vezes a cada seis meses, depois que eu reclamara bastante e ele se sentisse obrigado a tal. É engraçado como você tolera coisas como essa, ou as explica a si mesmo. Eu pensava que ele estava apenas estressado com o trabalho, ou com a falta de um, dependendo da situação momentânea. Ou era porque uma das crianças estava dormindo em nossa cama, ou o cachorro, ou algo, ou qualquer coisa. Eu imagino que não era este o problema. Talvez eu o tivesse entediado. Mas sexo era a última coisa em que pensava ao encará-lo naquela manhã. Minha vida estava numa corda bamba e balançava terrivelmente.

 Ele finalmente afastou meus braços, e me retirei para o banheiro, onde solucei numa toalha e depois dei uma olhada no rosto. E não apenas vi o penteado que oito horas em meu travesseiro produziram, como também os restos da passa do bolinho. Ver a mim mesma do mesmo modo que ele me vira só me fez chorar mais. Eu não tinha idéia sobre o que fazer para tê-lo de volta, ou, o que é pior, se eu sequer podia. Olhando em retrospecto, imagino se havia usado a história do fundo de crédito para mantê-lo ao meu lado. Talvez eu tivesse suposto que sua inépcia natural o faria dependente de mim. Mas, claramente, nem mesmo isso não teria funcionado. Eu pensara que o eximindo de qualquer responsabilidade e agindo com espírito esportivo em todas as situações, faria com que ele me amasse mais. Em vez disso, tinha a sensação de que ele viera a me odiar.

 Chorei o dia inteiro, como me lembro, e naquela noite ele se mudou para o quarto de hóspedes. Disse aos meninos que tinha um trabalho a fazer e, assim como um caminhão com três correias frouxas, passamos de forma desastrosa o Dia de Ação de Graças. Meus pais estavam lá, os dele também, assim como Angela, a irmã de Roger, e seus filhos. Seu marido a deixara no ano anterior para ficar com a secretária. De repente, pude me ver da mesma forma num futuro não tão distante. E, acometida de um completo embaraço, não contei a ninguém o que acontecera. Só a irmã de Roger disse que eu parecia estar perturbada com alguma coisa. É, a mesma coisa que ela teve quando Norman a deixou. Seis meses de intensa depressão. E a única coisa que parecia estar salvando-a era o fato de que agora estava tendo um caso com seu psicanalista.

 O Natal foi inacreditável naquele ano, as meias foram penduradas com cuidado na chaminé e eu chorava sempre que não havia ninguém olhando. O pior é que ainda não conseguia acreditar no que acontecera, e fiz tudo que pude para dissuadir Roger, a não ser comprar novas camisolas. Mais do que nunca, eu *precisava* de minhas velhas ruínas. Agora eu as usava com pares de meias de Roger que não combinavam. Mas Roger fazia análise então, e ficava mais convencido do que nunca de que fizera a coisa certa ao me deixar. Naquela época ele nem estava tendo problemas no emprego e havia parado de falar em escrever um romance.

 Contamos tudo para as crianças no dia de Ano-Novo. Sam

estava com seis anos e Charlotte tinha onze. Choravam de forma tão inacreditável que pensei que ia morrer ao vê-los daquele jeito. Uma amiga me descreveu este como o pior momento de sua vida, no que acreditei prontamente. Depois de contarmos a eles, resignei-me e fui para a cama. Roger ligou para seu terapeuta e saiu para jantar com um amigo. Eu estava começando a odiá-lo. Ele parecia tão saudável. E eu me sentia morta por dentro. Ele havia me matado e a tudo em que acreditei alguma vez. Mas o pior de tudo é que, em vez de detestá-lo, eu me odiei.

 Ele se mudou duas semanas mais tarde. Vou tentar poupá-los dos detalhes monótonos, e me ater aos fatos principais. Segundo ele, toda a prataria, porcelana, mobília de qualidade, o som, o computador e o material esportivo lhe pertenciam, pois fora ele quem emitira os cheques que pagaram tudo isso, embora meu fundo de crédito tenha coberto seus fundos. Minhas eram todas as roupas, a mobília que ambos detestávamos desde o Primeiro Dia, e tudo que estava na cozinha, com defeito ou não. Ele já havia contratado um advogado, mas até se mudar eu não descobrira que ele estava me processando para obter uma pensão e uma quantia equivalente ao que quer que achasse que gastaria quando tivesse as crianças por perto, desde a pasta de dentes que usassem até o aluguel de fitas de vídeo. E tinha uma namorada. O dia em que soube disso foi aquele no qual descobri que estávamos verdadeiramente acabados.

 Encontrei-a pela primeira vez quando fui levar os garotos no carro dele no Dia dos Namorados e ela estava a seu lado. Ela era perfeita. Linda, loura, *sexy*; seu vestido era tão curto que eu podia ver sua calcinha. Parecia ter quatorze anos, e eu esperava que tivesse um QI de sete. Roger vestia uma jaqueta com capuz para esqui, *jeans*, o que anteriormente se recusava

Klone e eu

a usar, e exibia um sorriso tão obsceno que me deu vontade de agredi-lo. Ele estava lindo. E eu me sentia nauseada. Não havia como mentir para mim depois disso. Eu sabia muito bem por que ele havia me deixado. Não era apenas uma questão de provar algo para si mesmo, como ele me disse mais de uma vez na época do rompimento, ou de não mais querer depender de mim. (Será que ele estava brincando? Quem iria sustentá-lo se não fosse eu?) Tudo aquilo pareceria quase admirável se eu não tivesse olhado bem no rosto daquela garota e visto a verdade. Ela era linda e eu (quaisquer que fossem os meus atrativos, e eu ainda devia ter alguns) era um lixo. O cabelo embaraçado, os penteados que nunca fiz, a maquiagem que nunca usei, os saltos altos com os quais não mais me importava, as roupas confortáveis que eram muito mais práticas para se usar quando brincava com as crianças (trajes compostos das minhas mais velhas e surradas camisetas, os *shorts* de tênis que Roger não usava mais e pijamas cheios de buracos), as pernas não depiladas (graças a Deus ainda raspava as axilas, ou ele teria me deixado muitos anos antes), as coisas que não fazíamos mais... de repente, vi tudo e percebi. Mas, junto com as mensagens totalmente claras sobre mim, também descobri algo mais sobre ele. Não era *sexy* tomar conta de um homem até o ponto em que eu tomava conta dele. Um homem que deixa você fazer tudo para ele, pois é muito preguiçoso para cuidar de si mesmo ou de você, não lhe dá bola depois de um tempo. Eu posso ter amado Roger, mas ele provavelmente não acendeu o meu fogo durante anos. Como é que ele podia? Eu estava amenizando as coisas para ele, tentando fazê-lo parecer e se sentir bem, apesar de tudo que não fazia e não era. Mas e quanto a mim? Eu estava começando a pensar que vovô não devia ter me feito um favor tão grande, afinal de contas. Coitado, não foi culpa dele, Deus sabe. Mas eu havia me tornado uma espécie de vaca premiada para Roger, uma extensão de sua própria mãe, que cuidava de tudo para ele antes de eu aparecer. E o que eu não podia mais me lembrar era o que ele fizera por mim. Levar o lixo para fora, apagar as luzes de noite, levar os filhos para jogar tênis quando eu tinha outra coisa para fazer... mas o que foi que ele fez por *mim*? Era o que gostaria de saber.

Foi naquele dia que joguei fora minhas camisolas de flanela. Está bem, todas menos uma. Eu a guardei para o caso de ficar bem doente um dia, ou para a possibilidade de que alguém morresse, pois sabia que precisaria dela para me sentir melhor. As outras foram embora junto com o lixo. No dia seguinte, fiz as unhas e cortei o cabelo. Era o começo de um processo longo, lento e doloroso, no qual tinha que me depilar religiosamente, fosse inverno ou verão, fazer *cooper* no Central Park duas vezes por semana, ler o jornal de cabo a rabo, não apenas as manchetes, usar maquiagem mesmo quando fosse pegar as crianças no colégio, reavaliar as barras de meus vestidos, comprar novas peças de *lingerie*, e aceitar quaisquer convites que me fossem feitos, e estes não eram muitos.

Fiz de tudo e, invariavelmente, voltava para casa profundamente deprimida. Não havia o equivalente masculino para a amiga de Roger, a pessoa que Sam e Charlie chamavam agora de Miss Bibelô, cujo rosto, cabelo, aparência e pernas agora me ameaçavam. O problema é que queria me parecer com ela, mas continuar sendo *eu*.

Levei aproximadamente sete meses para completar o processo depois que ele partiu, e naquela altura o verão seguinte estava se aproximando. Eu pagava obstinadamente a pensão e provia o sustento das crianças, havia substituído a prataria e a porcelana, parte da mobília, e não mais acordava toda manhã

Klone e eu

pensando em maneiras de trazer Roger de volta ou de matá-lo. Eu telefonara para meu velho analista, o Dr. Steinfeld, e estava "ficando por dentro" das coisas, como colher amoras ou a neblina em Londres. Vim a entender mais ou menos por que ele partiu, embora detestasse Roger por sua falta de caridade. Eu superara sua falta de tino para os negócios, por que ele não poderia ser mais tolerante quanto a minha aparência? Caí em abandono como acontece com um veleiro que ninguém quer mais. Eu tivera cracas no meu fundo, minhas velas estavam desgastadas e minha pintura descascava. Mas eu ainda era um bom barquinho, e ele devia ter me amado o suficiente para não se deixar enganar por essas coisas. De modo geral, a verdade é que ele não o fez e provavelmente jamais o fizera. Excetuando duas maravilhosas crianças, foram treze anos jogados fora. Levados. Tomados. Sumidos. Como Roger. Ele estava completamente fora de minha vida, a não ser para discutir comigo sobre mudanças nos meus planos e me pedir para ficar com as crianças toda vez em que ele queria sair com a Miss Bibelô. O pior de tudo é que ela não tinha só pernas fantásticas; tinha um fundo de crédito maior do que o meu, o que realmente esclareceu tudo para mim. De acordo com o que as crianças me repetiam, ela aparentemente *amava* a idéia de que ele não trabalhasse, e achava que *devia* escrever um roteiro, pois era tão "talentoso", ela achava que ele estava perdendo tempo no trabalho. Além do mais, ambos sabíamos que ele podia viver com seu jeito atraente de ser, devido à pensão que eu estava lhe pagando, pelo menos pelos próximos cinco anos. Foi com isso que o juiz o premiou. Cinco anos de uma polpuda pensão para ele e para o sustento das crianças, para depois ficar vivendo por seus meios novamente. E depois? Será que iria casar com ela? Ou finalmente tentaria se sustentar? Talvez não se importasse mais com isso. O orgulho não mais influenciava minhas conclusões, mas certamente me fez vez o lugar no passado onde começamos tudo com um olhar invejoso.

Mudamos-nos para morar juntos depois que terminei a faculdade. Naquela época, eu trabalhava como editora-assistente numa revista. Ganhava uma ninharia, mas adorava o emprego. E Roger ganhava tão pouco quanto eu como contador de uma pequena agência de publicidade. Falávamos sobre casamento, e sabíamos que acabaria acontecendo. Mas Roger continuava insistindo que não queria se casar até que pudesse sustentar a mim e aos filhos que viriam um dia. De certa forma, seis anos se passaram quase sem ser notados, Roger mudou de emprego quatro vezes, enquanto eu continuava no mesmo. E depois, quando fiz 28 anos, meu avô morreu e deixou o fundo de crédito para mim. Tudo foi por água abaixo depois disso, embora eu tenha que admitir que casar naquela altura foi idéia minha. Não tínhamos mais que esperar. Não importava quão pequenos fossem nossos salários, embora Roger insistisse que não queria viver à minha custa. Ele não iria, prometi. Ainda podíamos nos sustentar, e recorrer ao meu novo fundo de crédito quando tivéssemos crianças. Eu o convenci disso, ou ao menos pensei tê-lo feito. Casamos seis meses depois e logo engravidei e larguei o emprego. A seguir houve um grande expurgo na área de publicidade e Roger me disse que todo mundo ia ser despedido. E, no momento em que veio o bebê eu fiquei muito grata ao dinheiro do vovô. Não era culpa de Roger se estava sem trabalho por quase um ano. Fora-lhe oferecido um emprego como motorista de táxi, mas com o que o vovô me deixou, isso parecia uma estupidez. Minha mãe me avisou em ameaçadores tons velados que Roger não parecia ser do tipo que sustenta a casa, e eu lealmente o defendi, ignorando seu aviso.

Compramos um apartamento no East Side, Roger finalmente

conseguiu um emprego, e eu amava ficar em casa com o bebê e estar casada. Era para isso que valia a pena viver. Eu adorava passar a tarde inteira sentada no parque com o bebê no carrinho, jogando conversa fora com as outras mães. E amava a segurança que vovô nos deu. Isso possibilitou a Roger trabalhar no que gostava, em vez de forçá-lo a fazer o que detestava. Parecia que tínhamos muita liberdade. E isso era exatamente o que Roger tinha agora. Liberdade. De mim. Das crianças, na maior parte do tempo. Da responsabilidade, como sempre. Tinha tudo o que queria, incluindo a Miss Bibelô para lhe dizer como era espetacular e quão perseguido fora. Tudo que ele tinha a fazer era olhar para ela e se lembrar com facilidade de como eu era enfadonha. E por que diabos ele tinha que sair dessa situação e ter tanta sorte? Pelo que eu podia ver, estava recomeçando tudo do início. Uma vida nova. Uma bela mulher nos braços, o fundo de crédito dela ou o meu. Eu me perguntava que diferença isso fazia para ele, e não podia deixar de me questionar se ele alguma vez me amou. Talvez eu lhe fora apenas conveniente. Um acaso feliz surgido na hora certa e que fez sua vida ficar mais fácil. Era impossível saber, no fim das contas, o que estivera em seu coração e em sua mente no início de tudo.

Naquele momento, com essas perguntas circulando em minha mente, tornei-me uma entre os feridos que andam. O que me preparou perfeitamente para poder marcar encontros. Um novo capítulo em minha vida. Uma nova era. Para o qual, disse eu a mim mesma, estava pronta.

O divórcio foi homologado em setembro. Roger casou com a Miss Bibelô em novembro, quase um ano depois do dia em que me comunicou que não me amava. Eu disse a mim mesma que ele me fizera um favor, embora não acreditasse nisso por completo. Perdi minhas velhas ilusões, o conforto de ter um marido, um corpo quente para se enroscar comigo na cama, uma pessoa para conversar, alguém para cuidar das crianças para mim quando eu tinha febre. As coisas que se perde tornam-se engraçadas quando você não mais as tem. Às vezes senti falta de um monte de coisas que diziam respeito a ele, mas sobrevivi a isso. E Helena, como ela se chamava, era agora a Sra. Bibelô e tinha todas aquelas coisas das quais eu sentia falta. O fato lamentável para ela é que as tinha todas com Roger. Tornei-me bem mais honesta comigo mesma a partir de então, e sabia muito bem em quais situações eu fechara os olhos, as coisas que preferira não ver com muita clareza e constância. Tudo bem, ele era um grande parceiro de dança e cantava uma bela canção, mas o que mais? Quem iria tomar conta dela quando as coisas ficassem difíceis? O que aconteceria quando descobrisse que Roger não só era incapaz de escrever um roteiro de cinema, mas também de manter um emprego? Ou será que ela não se importava? Talvez isso não fizesse diferença para ela. Mas quer fizesse ou não, e não importa quão inadequado fosse, apesar de tudo ele fora meu esposo. E agora era dela e, para mim, naquele exato momento, parecia que eu não tinha nada.

Eu estava com 41 anos de idade e finalmente aprendera a pentear meu cabelo, tinha um terapeuta que insistia em que eu era *sexy*, inteligente e linda. Tinha dois filhos que amava, e comprei quatorze camisolas de cetim incrivelmente caras. Eu estava pronta. Para o quê, ainda não sabia. Pelo que podia ver, ainda não havia ninguém em perspectiva, exceto os maridos das minhas amigas — os quais eu não teria tocado nem com uma vara de três metros, embora alguns tivessem tentado entusiasticamente me convencer do contrário — e todos eram bem mais enfadonhos do que Roger. Mas no caso de o Príncipe Encantado aparecer e num belo dia invadir minha vida, eu estava preparada. Minhas pernas estavam raspadas, as unhas feitas e eu perdera cinco quilos. E as crianças disseram que meu novo penteado me fazia ficar parecida com a Claudia Schiffer. O que mostra o que a lealdade pode fazer com o olhar de uma criança. Por volta do Natal, treze meses depois daquele dia fatídico, no qual Roger se sentou na cadeira de cetim ao pé de nossa cama e jogou aquilo tudo bem no meio da minha cara, eu havia até parado de chorar. Até o bolinho de passas não passava de uma pálida lembrança então e, de fato, Roger também o era. Para todos os efeitos, eu havia me recuperado. E logo veio a fase em que começaria a marcar encontros. E uma vida totalmente nova para a qual estava completamente despreparada.

Capítulo Dois

Sair com alguém do sexo oposto nestes dias e nesta era é um fenômeno interessante. Comparando com o que se fazia em dias passados, épocas medievais por exemplo, tem muito a ver com uma atitude de combate. Ou, voltando um pouco mais na história, é um pouco como ser um cristão no Coliseu. Você faz um tremendo jogo de cena, mas sabe que, cedo ou tarde, um dos leões vai te devorar.

E há muitos deles, quero dizer, leões. Alguns são meros gatinhos, outros fingem ser. Alguns têm uma aparência fantástica, mas submeter-se a uma prova no Coliseu dá um trabalho colossal, e no fim das contas você acaba no mesmo lugar, com um leão te encarando, decidindo quando vai te devorar. Depois de seis meses de saídas fugazes, eu me sentia como uma Anfitriã de Piscadelas.

O que tinha muito a ver com tentar entrar para o elenco de *A Chorus Line*, e eu parecia nunca estar dando os passos certos, não importava o quanto os ensaiasse diante do espelho. Conheci uma senhora de setenta anos de idade que me falou de seu novo namorado, e perguntei a mim mesma onde ela conseguia a energia necessária. Eu tinha quase a metade de sua idade e estava exausta. Vamos encarar assim, sair com homens é imprevisível.

Havia caras gordos, carecas, velhos e jovens, e homens com os quais minhas amigas insistiam que eu ia ficar louca, exceto que eles sempre pareciam se esquecer de mencionar "um pequeno problema", fosse um alcoolismo incipiente, ou alguma psicose profunda relacionada com sua mãe, pai, filhos, ex-mulher, cachorro ou periquito, ou uma crise sexual de menores conseqüências que se instaurou desde que foi estuprado pelo tio quando estava na escola secundária. Há caras normais por aí, eu sei, mas quem dera se eu pudesse encontrar um deles. Além do mais, eu estava completamente destreinada. Por treze anos, eu estivera toda noite fazendo o jantar para Roger, assistindo TV ao seu lado, ou dormindo, sem contar as idas de carro a jogos de beisebol. Eu estava completamente despreparada para a Nova Era na qual prepararia pratos da culinária de microondas, serviria *cappuccino* feito a partir de dezesseis tipos de grãos de café cultivados em países africanos dos quais nunca ouvira falar, e praticaria esportes que só conhecia dos Jogos Olímpicos. Parecia que manicures e um Lady Remington não eram suficientes. Eu tinha que esquiar como Killy, nadar os cem metros e completar a corrida para o salto em distância. E, para falar a verdade, sou preguiçosa. Depois de um tempo, era muito mais fácil ficar em casa, ver reprises de *I Love Lucy* com as crianças e comer pizza. E enquanto eu reavaliava o que fiz, por volta do meu segundo verão de liberdade, decidi que sair com homens estava além de mim. Eu simplesmente não podia fazê-lo.

Naquele ano, as crianças passaram o mês de julho no Sul da França com Roger. Eles alugaram um iate, foram para o Hôtel du Cap e combinaram terminar a viagem em Paris, onde Roger colocaria as crianças num avião de volta para casa. Eu iria encontrá-los e depois passar o mês de agosto com eles. Eu alugara

Klone e eu

uma pequena casa de praia para nós três em Long Island. Afinal de contas, o dinheiro do vovô não era ilimitado. Roger e Helena haviam alugado um pequeno palácio perto de Florença. E há muito tempo já se tornara óbvio para mim que o fundo de crédito de Helena — se não o seu QI — era bem maior do que o meu. Eu estava feliz por ele, ou pelo menos fingia estar, o que deixou o Dr. Steinfeld muito orgulhoso. Tudo bem, menti para ele. Eu ainda estava um tanto zangada, e sentia um pouco de ciúme das pernas e das curvas de Helena, se não de seu fundo de crédito.

O mês que as crianças passaram longe foi a princípio solitário. Não havia ninguém para ver as reprises de *I Love Lucy* comigo, mas felizmente pude me abster de comer manteiga de amendoim e *pizza*. Sam estava com oito anos, Charlotte acabara de fazer treze, e estávamos tendo brigas intermináveis sobre esmalte verde e um *piercing* no nariz. Para falar a verdade, lá por volta da minha segunda semana de solidão, eu estava começando a apreciá-la. E, a despeito do calor, sempre gostei de Nova York no verão. Nos fins de semana, todo mundo desaparece. Dou longas caminhadas bem tarde da noite, e sento por horas em cinemas com refrigeração congelante. Também me era difícil crer que Roger partira havia quase dois anos. Eu não sonhava mais com ele à noite, não sofria mais por ele e não mais me lembrava com exatidão de como era o seu corpo. Nunca imaginaria que isso se tornasse possível, mas finalmente parara de sentir falta dele, de seus roncos, e dos bons momentos que não tivemos durante anos.

As crianças ligavam de tempos em tempos, e foi até engraçado quando Roger me perguntou, meio ofegante, como eu conseguia, como os tolerava dia e noite, e se Charlotte realmente falava sério sobre o *piercing* no nariz. Dessa vez, por mais que

Danielle Steel

eu amasse Charlotte e Sam, estava feliz por estarem com ele... e Helena. Deixe ela emprestar sua túnica favorita, sua melhor saia, e o bracelete de prata radiante que nunca mais verá outra vez. Ele só vai ser encontrado debaixo de sua cama daqui a dez anos, junto com sua bolsa favorita e um frasco de perfume gasto pela metade. Agora, sempre que some alguma coisa, eu olho primeiro embaixo da cama. Imaginei que iria deixá-la ter uma idéia por si mesma. Afinal de contas, tomar conta das crianças faz parte de amar Roger. O mais engraçado é que ela quase ligou as trompas aos 25 anos, depois de uma lipoaspiração e de implantar silicone, pois não queria estragar sua silhueta; em vez disso, decidiu tomar a pílula, segundo me disse Charlotte. Sam apenas a acha engraçada. Lá pela terceira semana, supus que ela estivesse enlouquecendo e lamentando ter se casado com Roger. E eu estava saudosa do esmalte verde, e fraquejando no que dizia respeito ao *piercing* no nariz. Felizmente, Charlotte não sabia disso.

A casa estava extremamente quieta sem eles. Mas eu ainda ia regularmente às pedicures e usava um esmalte vermelho brilhante para que pudesse colocar sandálias de salto alto. Eu havia desistido de sair com homens alguns meses antes, mas não de minha nova imagem. Naquele verão, cortei o cabelo bem curto. Helena ainda penteava suas madeixas no estilo Farrah Fawcett. Que fosse assim. Roger a amava. E tudo que se relacionava com ela.

E então, quatro dias antes do dia previsto para a volta das crianças, tomei uma decisão. Não tinha nada para fazer, nenhum motivo para ficar zanzando por Nova York até que eles voltassem. Essa idéia me veio à meia-noite do quinto dia de uma inacreditável onda de calor. Já vira todos os filmes em cartaz, todas as minhas amigas estavam viajando, e de repente fez sentido para mim encontrá-los em Paris. Decidi voar pagando uma tarifa especial, e consegui um grande desconto para a viagem de volta. E fizeram com que o negócio fosse tão fácil e indolor que parecia valer a pena.

Fiz uma reserva num pequeno e simpático hotelzinho na Rive Gauche, um lugar do qual alguém havia me falado, cujo dono era um astro decadente do cinema francês e que servia uma comida divina, além de fornecer bufê para interessantes clientes de elite. Arrumei minhas malas antes de ir para a cama e voei no dia seguinte. Desembarquei no Charles de Gaulle à meia-noite, horário local, numa noite quente de verão no final de julho, e sabia que o momento no qual cheguei era mágico. Foi a noite mais perfeita de todos os tempos, na cidade mais romântica do planeta. O único problema era que eu a estava dividindo com um motorista de táxi que fedia a suor e comia alegremente uma cebola crua. Havia um certo charme gaulês nisso, enquanto eu mantinha a janela aberta. Eu o fiz, mas na maior parte do tempo para que eu pudesse ver o visual enquanto rodávamos por Paris. O Arco do Triunfo, a Place de la Concorde, Place Vendôme... e a Ponte Alexandre III, enquanto íamos na direção da Rive Gauche, onde ficava meu hotel.

Queria sair e dançar, parar alguém, falar com alguém, qualquer um, para me sentir viva novamente, para dividir esse momento com alguém com quem eu me importasse. O problema era que o único homem com o qual me importara em vinte anos havia sido Roger, e ele ainda estava no Sul da França com Helena e meus filhos. E além do mais, mesmo que estivesse em Paris comigo, eu não lhe daria a menor pelota. Eu não podia mais me lembrar do que me fez um dia amar esse homem e, assim como ele, finalmente começara a me questionar se alguma vez nos amamos. Ou talvez eu só tivesse amado uma ilusão dele, de quão confortável tudo aquilo era, e ele só estivesse apaixonado pelo meu fundo de crédito. Eu aceitara aquela possibilidade há muito tempo, mas também estava grata por não mais precisar lhe pagar pensão. Aquela pequena oportunidade de crescimento para mim acabara quando ele se casou com Helena. Agora, tudo que tinha de bancar era o sustento das crianças, uma quantia suficiente para manter um pequeno orfanato em Biafra. Roger era um doce.

Enquanto isso, lá estava eu em Paris, contemplando a vista, olhando para a Torre Eiffel e admirando os *bateaux-mouches* no Sena, todos com as luzes acesas como se fosse Natal. Sozinha, o que essencialmente eu fora durante os dois últimos anos, e possivelmente pelos treze que os antecederam. E mais: ao perder Roger, não só perdera minhas ilusões, minha inocência e minha juventude, como também perdera minhas camisolas de flanela. Desisti de muitas coisas por causa dele. Cresci acostumada com o fato de ter companhia, momentos ocasionais de solidão, e a falsa indiferença das camisolas de cetim que substituíram as de flanela. Trouxe quatro delas comigo para Paris, de fato uma nova leva delas, já que as primeiras que comprei logo após sua partida já estavam gastas.

Paguei o táxi quando cheguei ao hotel, carreguei minha própria bagagem para dentro e, quando olhei a sala de espera, não fiquei desapontada. Era uma pequena jóia e o lugar mais romântico que já havia visto, gerenciado por um garoto no balcão que parecia um astro do cinema pornô. Lindo, mas com metade da minha idade. Notei que, ao me conduzir aos aposentos, fitou-me sensualmente. Ao me dar a chave, percebi que acabara de consumir uma quantidade enorme de alho, e desodorante parecia ser algo que não usava com freqüência.

Do meu quarto, que era de uma quietude abençoada, podia-se ver a Torre Eiffel e um canto do jardim do Museu Rodin. Não vinha barulho de parte alguma quando subi na cama de dossel, e dormi como um bebê até o amanhecer. E então, tal qual um bebê, acordei com fome.

Croissants e um café da cor do alcatrão chegaram no meu quarto numa bandeja forrada com vários panos de linho, com uma linda prataria e uma única rosa num vaso de cristal. Devorei tudo, menos a rosa e os panos de linho. Tomei um banho, me vesti, e depois passei o dia perambulando por Paris. Nunca havia aproveitado tanto um dia, visto tantos cenários requintados e gastado tanto dinheiro na mesma medida. Comprei tudo que amava ou gostava, e até algumas poucas coisas que finalmente decidi que detestava. Encontrei uma loja que vendia *lingeries* extraordinariamente lindas e comprei um número suficiente delas para me tornar uma cortesã na corte do rei Luís XIV e, quando voltei para o hotel, espalhei tudo em cima da cama: sutiãs, calcinhas e cintas-ligas para as quais não havia nenhuma utilidade. Levantei uma sobrancelha enquanto as olhava, imaginando se isto não era um sinal de Deus. Sair para paquerar outra vez? Oh, Deus, não, isso não... nada de leões do Coliseu outra vez. Decidi usá-las por mim mesma. Talvez meu filho Sam as adorasse. Isso poderia ensinar-lhe algo. Eu podia ouvi-lo daqui a quinze anos... minha mãe sempre usou as *lingeries* e camisolas mais lindas. Isso daria à mulher de sua vida uma razão para viver, e à Charlotte algo para zombar. Pensei se ela ainda iria querer o *piercing* no nariz. Tudo o que eu desejava era passar o resto de minha vida em Paris, vestindo as roupas íntimas que estavam espalhadas na minha cama.

O hotel não tinha serviço de quarto naquela semana, devido a um problema na cozinha, por isso decidi descer o Boulevard Saint-Michel e procurar por um bistrô. Almocei no

Deux Magots, sozinha, escutando os parisienses e observando turistas. Sentia-me incrivelmente madura quando saía do hotel. *Isso* era a verdadeira independência. Eu finalmente a havia conseguido. Vitória. Com roupas de baixo francesas. Estava usando o conjunto azul-claro que comprara naquela manhã e meias com ligas. Mas quem iria saber disso? Só a polícia, se eu sofresse um acidente, uma perspectiva animadora... Como aconteceu mais cedo com meus pensamentos sobre Sam, eu só podia ouvir os policiais franceses comentando, um para o outro, sobre quão fabulosas eram as roupas íntimas usadas pelo corpo. Mas manobrei a situação para permanecer viva, com a *lingerie* intacta, por todo o caminho até o bistrô. E então eu o vi.

Eu acabara de pedir um *pernod* — um drinque amargo à base de licor que odiei por toda a vida e que só pedi por parecer ser tão francês — e uma porção de salmão defumado. Eu não estava realmente com fome, mas achava que devia comer algo, e me peguei olhando para ele quando o garçom trouxe o *pernod*. Vestia *jeans*, uma camiseta preta e um velho par de mocassins pretos. Eu deixara as sandálias de salto alto em uma de minhas malas no hotel. Não estava tentando parecer *sexy* aqui, só queria me divertir até encontrar as crianças. Naquela manhã, enviara uma mensagem para Roger, perguntando onde pegá-las, para que ele não as colocasse num avião para Nova York.

O homem para o qual eu estava olhando era alto e esbelto, tinha ombros largos e olhos que pareciam atrair qualquer um. Ele era alto e magro e tinha um jeito de sentar, recostando-se em sua cadeira, como se tivesse um papel num filme de Humphrey Bogart. Imaginei que ele tivesse seus cinquenta e poucos anos, e por algum motivo suspeitei que fosse inglês ou alemão. Ele tinha aquele tipo de ar audacioso. Sabia que não era francês e supus,

Klone e eu

pelo seu diálogo algo complicado com o garçom, que também não falava a língua. E logo depois o vi lendo o *Herald Tribune*. Não tenho idéia do motivo, além de pura solidão, ou tédio, ou química talvez, mas estava fascinada por ele. Não podia tirar os olhos dele. Algo em relação a ele me hipnotizou. Era lindo, certamente, mas só um pouco mais do que os outros homens que já vira. Mas havia nele uma aura de inegável atração e, o que é pior, suspeitava que ele já sabia disso. Até lendo o *Herald Tribune* ele parecia *sexy*.
Estava vestindo uma camisa *oxford* azul, sem gravata, calças cáqui e sapatos como os meus. Enquanto o observava tomando um pequeno gole de vinho, percebi que ele era americano. Vir de tão longe para Paris e ficar fascinada por um mero sujeito que provavelmente era de Dallas ou Chicago! Que ridículo. Isso é que é desperdiçar dinheiro numa passagem. E, de repente, ele se virou e me viu. Seus olhos encontraram os meus, nos encaramos por um breve período, e depois ele acabou voltando ao seu jornal, pois evidentemente nada fora afetado pelo que acabara de ver. Mantinha-se obviamente firme no intuito de conseguir uma Brigitte Bardot, ou uma Catherine Deneuve, ou alguma garota francesa que parecesse com Helena. O que eu estava esperando, me perguntei, que ele fosse levantar de sua cadeira, cair a meus pés e me implorar para jantar com ele? Não, mas ele poderia se chegar para dizer alô, ou me oferecer um copo de vinho. Não nessa vida. Os homens da vida real não fazem isso. Eles te fitam, olham de cima a baixo várias vezes, e voltam para suas vidas em Greenwich. Eu decidira então que ele provavelmente morava em Greenwich ou Long Island. Era um corretor da bolsa, ou um advogado... ou um professor em Harvard. Ou outro ocioso como os dez mil homens que conheci nos últimos dois anos. Provavelmente um alcoólatra. Talvez um

molestador de crianças. Ou outro grande chato, que queria falar sobre seu patrimônio, ou de sua ex-mulher, ou do único espetáculo de *rock* ao qual foi em toda a sua vida, quando estava na faculdade. Dos Rolling Stones ou do Grateful Dead, ambos odiados por mim.

Não tinha nenhuma dúvida em minha mente de que era casado. Parecia ter estudado em Yale, ou talvez Harvard. Tudo levava a crer que partiria meu coração, ou num belo dia me daria um chute, como fez Roger. Ele era tão incrivelmente *sexy*, sentado ali com sua calça cáqui e camisa *oxford*, que eu não podia agüentar. E ficar só olhando para ele, sentado ali, só me faria detestá-lo. Quantos leões são necessários para se comer um simples cristão? A resposta correta para esta pergunta é: muitos. Ou um dos grandes. Eu já havia sido devorada, mastigada e cuspida por especialistas. Como esse sujeito. Já podia reconhecer facilmente um leão. No ato.

Rosnando interiormente para ele, pedi a sobremesa e *café filtre*, sabendo que ficaria acordada a noite inteira em Paris, e depois passei ao seu lado com indiferença, depois de pagar meu jantar. Estava me preparando para voltar ao hotel, usando uma rota indireta, para respirar os sons e os odores de Paris e me esquecer dele. Nossos olhos se encontraram por uma fração de segundo enquanto eu saía do bistrô, sabendo que nunca mais o veria e esforçando-me para não me importar. Fiquei obcecada por ele durante todo o jantar e, até eu sabia, especialmente depois dos dois últimos anos, que não valia a pena sentir por nenhum homem o que senti por ele, não importava quão *sexy* fosse.

Já me convencera de que deveria esquecê-lo, enquanto olhava vitrines durante todo o caminho de volta ao hotel, mas, ao dobrar a última esquina, percebi que o herói de camisa azul e calças

Klone e eu

cáqui estava logo atrás de mim e se aproximava rapidamente. Meu coração pulou um batimento e parei, sem saber ainda o que dizer quando ele me alcançasse. Ainda estava em pé ali, tentando pensar em algo inteligente para dizer, quando ele passou por mim. Sem dar um sorriso, um olhar, ou uma piscadela na minha direção. Ele entrou em meu hotel antes de mim e me questionei se sabia que eu estava hospedada lá, e por que se importava em saber. Ele provavelmente estava esperando por mim no saguão. Claramente, depois de dois anos me reajustando para tudo na vida, desde a roupa para dormir até os encontros, eu havia perdido a perspectiva.

Ele pegava sua chave com o astro pornô do balcão quando adentrei o saguão. Desta vez, ele se virou, sorriu-me e algo bem primordial, vindo do fundo da minha alma, falou comigo. Eu me sentia tão desarticulada só de olhar para ele que não podia nem ouvir o que estava dizendo. Pelo sim e pelo não, era demais olhar para ele. Procurei instintivamente por uma aliança de casamento, mas não vi nenhuma. Ele era provavelmente um daqueles caras que fingiam regularmente, tiravam o anel do dedo e o colocavam no bolso. Só podia admitir o pior sobre ele. Em minha opinião, ele era muito bem-apessoado para ser decente.

— Bela noite, não é? — perguntou ele amavelmente, enquanto estávamos de pé um ao lado do outro, esperando pelo elevador que parecia uma gaiola. Eu já subira os dois pequenos lances de escada até meu quarto, mas, olhando para ele, não pude fazê-lo desta vez. Meu estômago havia derretido, escorrido para algum lugar em meus sapatos e eu podia me ouvir murmurando. De qualquer maneira, eu estava certa. As palavras eram americanas. Mas poderia ter chegado a essa mesma conclusão a partir da camisa *oxford*, a calça cáqui e os mocassins. Não precisava ver seu passaporte.

— Essa é uma cidade linda. — Brilhante. Marquei pontos com essa. Graças a Deus fui para a faculdade e me formei com honras.

— Está aqui a trabalho? — perguntou ele quando o elevador chegou. Meu Deus, uma conversa. O que aconteceu?

— Vou encontrar com meus filhos dentro de alguns dias. Só estou fazendo hora e gastando dinheiro. — Ele abriu um largo sorriso. Belos dentes. Belo sorriso. Belo corpo. E me senti quase tão jovem e sofisticada quanto Charlotte, com ou sem o *piercing* no nariz.

— É uma ótima cidade para se fazer isso — disse ele descontraído, enquanto me acompanhava ao entrarmos na gaiola. — Vem aqui com freqüência? — Apertei o botão para ir ao segundo andar e ele não apertou nada. Talvez estivesse planejando me seguir até meu quarto para depois me matar. Ou me seduzir. Qualquer coisa. Mas pelo menos eu estava usando o conjunto azul-claro por baixo da roupa e a cinta-liga. Eu sabia que ele ficaria impressionado quando as visse.

— Cerca de uma vez a cada dez anos — respondi honestamente. — Não venho aqui há anos. Você também?... Vem aqui de vez em quando, quero dizer... — Eu me senti inacreditavelmente estúpida. Tudo que realmente queria era olhar para ele. Era impossível não pensar nele sem as roupas. Perguntei a mim mesma que tipo de roupa íntima ele usava. Provavelmente cuecas largas. Cinzas ou brancas. Calvin Klein. E meias até os joelhos. Como pude ver, seu quarto ficava do lado do meu, e tudo que eu podia pensar era na cena de *Confidências à meia-noite* entre Doris Day e Rock Hudson, na qual ambos estão na banheira, separadamente, falando no telefone. Se isso fosse um filme, ele iria me chamar. Na vida real, teria me comprometido com o que eu estava pensando.

— Boa noite — disse ele amavelmente e entrou para ligar para sua mulher e seus sete filhos. Ou sua ex-mulher e as duas namoradas. Ou para seu namorado. Ou qualquer dessas combinações.

Fiquei parada no meu quarto, olhando pela janela e pensando nele. E já que persistia uma pequena possibilidade de que fosse uma pessoa normal, e não um maníaco sexual profissional, ele não me chamou. Mas tornei a vê-lo na manhã seguinte. Deixamos nossos quartos na mesma hora, perfeitamente sincronizados, e descemos o elevador juntos. Estava chovendo, era uma chuva fina, mas eu viera preparada e estava vestindo uma capa de chuva e carregando uma sombrinha. Eu sabia que podia bater nele com meu guarda-chuva se tentasse me violentar, e fiquei terrivelmente desapontada por não tê-lo feito.

Em vez disso, ele se virou para mim no saguão, enquanto eu começava a brigar com meu guarda-chuva. Neste dia ele vestia uma blusa branca e me perguntou aonde estava indo.

— Vou sair... — eu disse, acanhada — fazer compras... talvez ir ao Louvre... Não sei...

— Também estou indo para lá... para o Louvre, quero dizer. Importa-se em me acompanhar? — Mas o que fora feito de sua esposa e filhos em Greenwich? A coisa é assim? Simples desse jeito? Depois de todos aqueles chatos que bebiam muito e que me obrigavam a fazer uso do *aikido* no caminho de volta para casa, esse homem incrivelmente lindo queria ir ao Louvre comigo? Eu queria perguntar a ele onde diabos estivera durante os últimos 21 meses, enquanto eu saía com Godzilla e todos os seus irmãos e primos. Por que demorou tanto a chegar, moço? Talvez o momento certo fosse exatamente o de agora.

— Eu adoraria — disse, com um sorriso.

Tivemos um papo bem descontraído no táxi. Ele também morava em Nova York, a uns dez quarteirões de distância da minha casa. E ele passava grande parte do tempo na Califórnia. Era dono de uma companhia no Vale do Silício, especializada em biônica, uma espécie de combinação da biologia com a eletrônica. Explicou sucintamente o que sua empresa fazia, o que soava como língua suaíle. O que quer que ele fizesse, era algo *high-tech*. E ele não havia estudado nem em Yale e nem em Harvard. Fora para Princeton. E enquanto foi casado, morou em São Francisco. Só se mudara para Nova York dois anos antes, após seu divórcio, e tinha um filho na Stanford. Chamava-se Peter Baker, tinha 59 anos de idade, e nunca havia morado em Greenwich. E minha própria história era tão insípida, enquanto lhe contava, que quase me vi ouvindo-o roncar. Ele conseguiu ficar acordado tempo suficiente para eu lhe contar todos os detalhes pertinentes. Omiti a cena nas cadeiras de cetim, e o fato de Roger ter me deixado mais ou menos por causa de Helena, ou talvez ele simplesmente não me amasse. Falei para ele das crianças, que era divorciada e que trabalhara como editora de uma revista por seis anos antes de me casar, mas até fiz por onde tornar aquilo monótono. Fiquei surpresa por ele ter se mantido acordado até eu acabar de contar minha história.

Eu queria discorrer sobre toda a lista o mais rápido possível. Depois de quase dois anos me tornei craque nisso. Tênis, esquiar, sim; escalar montanhas, não; fazer maratonas era impossível, não posso mais correr devido a um problema no joelho esquerdo, que surgiu depois de um pequeno acidente de esqui no ano passado; nada de asa-delta; nem pequenos aviões; medo de altura; velejar um pouco; culinária medíocre; lençóis novos; camisolas decentes; vinho; nada de bebidas alcoólicas mais fortes; queda fatal por chocolate; um pouco de espanhol;

Klone e eu

francês rasteiro de ginásio, tratado com desprezo pela maioria dos garçons. O resto ele podia ver por si mesmo. E talvez, se pressionada, Roger poderia ser uma referência. Nada de relações sérias há dois anos, Deus sabe que demorou isso tudo, mas um monte de encontros inacreditavelmente medíocres numa série de restaurantes italianos de baixa categoria, e alguns poucos e grandes franceses também. Divorciada solitária à procura... de quê? De fato, procurando por quê? Procurando quem?... Um homem com blusa branca nova, calça cáqui limpa, um *blazer* azul-marinho sobre os ombros, e uma gravata Ralph Lauren no bolso. E o que exatamente queria dizer biônica? Não tinha certeza e estava acanhada para lhe perguntar.

Ele tentou explicar mais uma vez no caminho para o Ritz, onde íamos tomar um drinque depois de sair do Louvre. Foi muito bom de sua parte que ele tivesse me convidado. Ele disse que já havia ficado lá com "amigos", porém não deu mais detalhes. Pensei num relacionamento tórrido, o que me deu algo para pensar no táxi. Apesar de estar ocorrendo uma certa abertura entre nós, havia certamente uma aura de mistério que o cercava. E algo muito *sexy*. Só o jeito dele de se mover e de falar sobre as coisas. As perguntas que ele não fazia. As respostas que ele não dava. No Ritz, me ofereceu um martíni e disse ao *barman* como gostava da bebida. Bem seco. Puro. Duas azeitonas.

No momento em que deixamos o Ritz, eram nove horas da noite e tínhamos estado juntos por dez horas. Nada mal para um primeiro programa. Será que foi? O que foi isso? Não era nada. Eu estava um pouco alta por causa do vinho branco e ele era demais. Comemos ostras num bistrô em Montmartre, falei sobre Sam e Charlotte, e o *piercing* no nariz. Eu até lhe falei sobre Roger e a cena nas cadeiras de cetim, e do fato de ter me dito que não me amava.

Depois foi a vez dele. O nome de sua esposa era Jane, e se separaram depois que ela teve um caso de dois anos com seu médico. Eles estavam morando juntos em São Francisco e Peter não aparentava estar particularmente perturbado ao dizer isso. Ele disse que o casamento já estava acabado há muitos anos. Não pude deixar de me questionar se foi o mesmo que Roger dissera a Helena. Ou será que ele teve de explicar-lhe alguma coisa? Tenho certeza de que Helena nunca se sentou com Roger para comer ostras em Paris ou em qualquer outro lugar. Eles provavelmente foram a discotecas, ou a motéis baratos, para que não precisassem ter que falar um com o outro. Peter também mencionou seu filho e que era louco por ele.

Voltamos para o hotel pouco antes da meia-noite, e subimos o elevador em silêncio. Eu não fazia idéia do que iria acontecer ou do que queria, mas ele resolveu o problema para mim. Desejou-me boa noite, disse que se divertira muito e que seguiria para Londres na manhã seguinte. Eu disse que foi maravilhoso conhecê-lo e agradeci pelo jantar. Era um interlúdio, um momento na vida e, enquanto fechava a porta e olhava em torno, disse a mim mesma que sujeitos de camisas brancas e calças cáqui valiam dez centavos a dúzia. Mas não aquele. Por algum motivo, ele parecia ser único. E o era. Eu sabia.

Peter Baker era uma raridade, um presente, um unicórnio no mundo de hoje. Ele parecia ser uma pessoa normal. Das boas. Ainda podia me sentir sendo levada para o Coliseu, com *lingerie* azul-clara e tudo, embora hoje eu tivesse usado o conjunto rosa. Não tinha certeza do que esperar dele, do que eu queria e do que ele fazia. Mais do que provavelmente, nada. Mas ele dissera que voltaria a Nova York e que me ligaria. Não havia a menor chance disso acontecer. Ele não havia pedido o meu número, que por sua vez não estava na lista. Ademais, eu estaria nos

Hamptons com as crianças. E já havia estado dentro e fora do Coliseu. Fui comida viva no café da manhã, no almoço e no jantar. E Roger devorou as melhores partes antes disso. Eu não sabia mais o que ainda sobrava de mim, ou se ele se importava. De fato, tinha certeza de que não. Estava convencida disso enquanto tirava a roupa, escovava meus dentes, e ia para a cama. Fazia tanto calor que nem me importei de não estar usando uma camisola, e não vinha nenhum som do quarto ao lado. Nem um ronco. Silêncio total até a manhã seguinte, quando ele me ligou.

— Liguei para me despedir — disse relaxadamente. — Esqueci de pedir o seu número na noite passada. Tudo bem se eu te ligar?

Não. Seria terrível. Eu iria odiar. Não quero vê-lo nunca mais. Já gosto muito de você e não o conheço. Ouvindo no fundo o rugido dos leões, dei-lhe meu telefone e depois rezei para que não me ligasse. Os imbecis sempre ligam, mas nunca os que prestam.

— Vou ligar assim que voltar para Nova York — disse ele.
— Divirta-se com seus filhos.

Tenha uma boa vida, disse a mim mesma. E, para ele, desejei uma boa estada em Londres. Ele me disse que iria trabalhar e voltaria para os Estados Unidos, via Califórnia. Pelo menos ele não era chato. Tinha um emprego. Parecia estar se sustentando. E gostava de seu filho. Parecia não ter problemas com a ex-mulher. Nunca fora para a prisão ou para a cadeia, não que quisesse admiti-lo. Ele era educado, agradável, *sexy*, inteligente, tinha bons modos, era lindo além do normal e gentil, ou assim parecia. Um louco, obviamente.

Capítulo Três

Roger deixou as crianças no meu hotel com um ar de imenso alívio, um dia depois de Peter Baker ter ido para Londres. Até então, estivera no Museu Rodin, em cada uma das butiques da Rive Gauche, e comprei um monte de roupas com as quais não tinha certeza sobre o que faria. Elas eram *sexy*, novas e apertadas, e me senti um pouco hesitante com elas, mas decidi que, se elas não caíssem bem em mim, poderia passá-las para Helena, ou para Charlotte quando crescesse.

As crianças pareciam ótimas quando chegaram. Charlotte estava usando um esmalte rosa claro, em vez do verde, e havia colocado um segundo brinco na orelha, o que parecia saciar sua ânsia por automutilação, pelo menos temporariamente. Roger aparentava estar exausto. Ele mal disse oi quando se afastou da porta e acenou vagamente, dizendo que tinha que ir ao encontro de Helena. Ela havia parado para fazer algumas compras na Galliano, e ele ia encontrá-la. Em treze anos de casamento ele nunca havia feito compras comigo em parte alguma. Nem uma vez. Helena parecia apta a evocar coisas dele com as quais eu nunca sequer sonhara.

— Papai está estranho — anunciou Sam, enquanto se jogava numa cadeira com uma barra do chocolate Mars numa mão. Haviam pago dois dólares por ela no Plaza-Athenée, onde Roger e Helena ficariam até retornar na manhã seguinte para Florença.

— Não, não está — resumiu Charlotte, checando as novidades no meu guarda-roupa. Ela paquerou com interesse a minissaia branca com a blusa transparente e os bolsos brancos de brim colocados cuidadosamente onde importava. — Ele é um chato. Você não vai vestir isso, vai? — Ela olhou para mim com um ar insolente. Bem-vinda de volta, Charlotte.

— Pode ser, mas você não, obrigada — disse, feliz ao vê-la depois de um mês de ausência. Mal se notava o *piercing* duplo, e o brinco que usava nele era minúsculo. — Você não devia dizer coisas como essa sobre seu pai. — Tentei mostrar um ar reprovador, mas é difícil enganá-la.

— Você também pensa o mesmo sobre ele. E Helena ainda é um bibelô. Ela passeou de *topless* por todo o Sul da França, o que deixou papai maluco — disse ela, sorrindo largamente. — Um dia, ela chegou perto de dois caras na piscina e papai disse que no ano que vem eles iriam para o Alasca.

— Temos que ir também? — Sam parecia preocupado.

— Mais tarde falamos sobre isso, Sam. — Essa era uma das minhas respostas prontas, e parecia servir à situação. Ele terminou de comer a barra de chocolate, sem destruir a embalagem, milagrosamente, e saímos para aproveitar a tarde. Levei-os para todos os lugares que achei que iriam adorar, e acertei em cheio. E quando fomos para o Deux Magots naquela tarde, pensei em Peter Baker e me questionei sobre se um dia ele iria me ligar. Parte de mim esperava que não. Apaixonar-se por alguém novamente seria muito doloroso. Mas outra parte de mim esperava que ele ligasse.

Klone e eu

— E o que andou fazendo? — perguntou Charlotte naquele exato momento, enquanto me lembrava de como Peter estava na primeira vez em que o vi, lendo o *Herald Tribune*. — Encontrou-se com alguém enquanto estávamos longe? Um gato francês talvez? — Meninas de treze anos têm a percepção extra-sensorial típica dos marcianos altamente sofisticados.

— Por que mamãe iria querer encontrar um francês? — Sam parecia confuso e completamente desinteressado, enquanto Charlotte se preparava para me interrogar e eu mantinha um ar vago. Podia honestamente lhe dizer que não o fizera. Encontrar um francês, literalmente. Eu havia conhecido Peter Baker, fosse quem fosse. Mas não fizera nada. Não tinha nada para confessar. Ele não havia me beijado. Não fizemos sexo. Tudo o que fizemos foi passar uma tarde juntos. Não perdera minha virgindade em Paris.

— Não, só estava esperando por vocês dois — disse inocentemente, o que era mais ou menos a verdade. Não tivera um só "encontro" o mês inteiro, e nem me importava se nunca mais tivesse um. O charme de ser levada de carro para casa por bêbados depois de jantares que não apreciei, para depois ser agarrada por quase estranhos incoerentes, alguns deles casados, se desfizera poucos meses antes. Eu só esperava que as crianças crescessem para poder entrar para uma ordem religiosa. Mas então o que eu faria com minhas camisolas? A essa altura elas já estariam puídas, e isso então não seria um problema insolúvel. Talvez uma camisa daquelas usadas em penitências me fariam lembrar das minhas peças de flanela há tempos perdidas.

— Que chato. — Charlotte resumiu minha vida com sua precisão costumeira e depois começou a me falar dos gatinhos que ela havia conhecido, ou gostaria de tê-lo feito, no Sul da França. Sam me disse que pegou sete peixes no iate, Charlotte lembrou que foram só quatro, e logo depois ele bateu nela, mas não com muita força.

    Era bom tê-los de volta. Dava uma sensação quente e confortável, e me lembrava de que eu não necessitava de um homem. Tudo que precisava era de um aparelho de televisão e de uma conta na livraria da esquina. E das minhas crianças. Quem precisava de Peter Baker? Como diria Charlotte, se ela soubesse dele naquele momento, ele provavelmente seria um pervertido.

    Voamos de volta à Nova York, onde passamos o dia lavando roupa, fazendo as malas novamente e depois seguimos para East Hampton. A casa que eu alugara era bem pequena, mas adequada para nós. Sam e Charlotte dividiam um quarto, eu dormia sozinha, e os vizinhos nos garantiram que seu cão dinamarquês adorava crianças. Esqueceram de mencionar que o cão também adorava o gramado em frente à casa. Ele o usava de hora em hora para nos deixar presentes inevitáveis. O bordão "você pisou outra vez, mamãe" era constantemente repetido, enquanto procurávamos por seus presentinhos por toda a casa, gratos por não termos ido sem sapatos. Mas ele certamente era amigável e adorava Sam. Já estávamos lá há uma semana quando o encontramos dormindo na cama dele. Meu filho o escondera embaixo das cobertas para que eu não o achasse e parecesse que um homem estivesse dormindo ao seu lado. Depois disso, o cachorro dormia às vezes na cama de Charlotte, e ela no meu quarto.

    Charlotte ainda estava dormindo ao meu lado, de fato, quando Peter ligou na manhã de sábado, e pensei que fosse o sujeito que iria consertar a geladeira, que havia pifado na tarde do dia anterior. Nossa *pizza* congelada havia estragado, assim como os cachorros-quentes, e o sorvete jazia derretido no fundo do congelador. As únicas coisas que nos restavam eram 42 latas de Dr. Pepper, dezesseis 7-Ups *diet*, um pouco de pão, uma alface e alguns limões. Cozinho bastante no verão.

— Como vai você? — perguntou ele e reconheci a voz instantaneamente. Falara com ele duas vezes na noite anterior, ou assim pensava, e ele prometeu que iria ligar de manhã, o que até então não fizera.

— Ficarei bem melhor quando você chegar aqui. Perdi trezentos dólares de comida na noite passada — disse, reclamando. Ele tinha uma voz profunda e *sexy*, mas, como aquelas pessoas nas linhas de disque-sexo, calculei que ele pesasse 130 quilos e vestisse calças que escorregam lentamente e revelam coisas que você nunca quis ver num homem de 130 quilos, particularmente um que estivesse suando e fumasse cigarros.

— Que pena ter que ouvir isso — disse ele de forma simpática, referindo-se à comida que havíamos perdido. — Talvez eu devesse aparecer aí e te levar para jantar.

Cristo. Mais outro. O carpinteiro que viera para consertar o degrau frontal solto, no segundo dia de nossa estada, me disse que eu ficava muito bem de biquíni e depois me convidou para jantar. Supus que eu parecia desesperada, e lhe disse que iríamos sair.

— Não, obrigada, só venha e conserte a geladeira. Isso é tudo o que eu quero. Só venha aqui, pelo amor de Deus, e a conserte.

Houve um breve silêncio.

— Não tenho certeza se sei como fazê-lo — disse ele, em tom de desculpa. — Posso tentar. Fiz alguns cursos de engenharia na faculdade. — Oh, grande. Ele completou a faculdade. Um sujeito que conserta geladeiras e que se dispunha a admitir que não sabia o que estava fazendo. Pelo menos ele era honesto.

— Talvez você possa comprar um manual ou algo assim. Veja bem, você me disse que estaria aqui ontem. Então, vai consertá-la hoje ou não? — Charlotte acordou e saiu do quarto enquanto eu discutia com ele.

— Eu preferia levá-la para jantar, Stephanie. Se isso for uma opção. — Que diabinho persistente. Mas eu também o era. Fazia calor, todo o refrigerante estava quente, e não achei a menor graça.

— Isso não é uma opção... e para você eu não sou Stephanie. Só conserte a geladeira, droga.

— Será que não posso simplesmente comprar-lhe uma nova?

— Está brincando?

— Podia ser mais simples. Sou péssimo para esse tipo de conserto. — Ele parecia estar zombando de mim.

— O que você faz na vida real? É dermatologista? Por que você está sustentando esta conversa?

— Porque sua geladeira está quebrada e não tenho idéia de como consertá-la. Sou um cientista *high-tech*, Stephanie, não um técnico de geladeiras.

— Você é *o quê*? — E então descobri quem ele era. Este não era o sujeito do Mundo Perdido de Sparky. Era uma voz que eu ouvira algumas semanas atrás, em Paris. No Louvre, falando sobre Corot, e no Ritz, explicando para o garçom como fazer o martíni perfeito. Era Peter. — Oh, Deus... desculpe. — Sentia-me uma completa idiota.

— Não fique assim. Estou indo para os Hamptons para passar o final de semana e imaginei que você gostaria de jantar. Vou levar uma geladeira nova em vez de uma garrafa de vinho. Alguma marca em especial?

— Pensei que você ia...

— Eu sei. Como vai essa temporada nos Hamptons, tirando a sua geladeira?

— Muito boa. Meu filho adotou um cão dinamarquês que mora na casa ao lado. E a casa tem estado ótima, exceto por esse pequeno problema com a geladeira.

— Posso levá-la para jantar?

Com meus filhos? Era um belo pensamento. Mas não tinha certeza se queria dividi-lo com Sam e Charlotte. De fato, tinha certeza de que não. Depois de passar uma semana falando só com eles, limpando a sujeira deixada pelo dinamarquês, que fez dentro de nossa casa a mesma coisa que fizera no quintal, tinha certeza de que estava pronta para uma noite de conversa estritamente adulta. Eu estava mais do que disposta a deixá-los no orfanato mais próximo, esquecer a geladeira ou, na melhor das hipóteses, chamar uma pessoa para tomar conta das crianças. Eu queria vê-lo *sem* elas.

— Acho que as crianças têm planos. — Eu mentia como Pinóquio, mas não queria dividi-lo com ninguém. — Onde está hospedado?

— Com amigos no Quogue. Lá há um restaurante que achei que você poderia gostar. Que tal se eu passar aí às oito para pegar você? — Que tal? Será que ele estava brincando? Depois de dois anos alternando saídas com os irmãos mais novos de Godzilla e a completa solidão de assistir a reprises de *M*A*S*H* na TV, que eram infinitamente melhores que os encontros, uma pessoa civilizada que eu conhecera em Paris e com quem comera ostras em Montmartre queria me encontrar em East Hampton e me levar para jantar? Ele devia estar brincando.

    Desliguei com um largo sorriso e Charlotte voltou para a sala e me encarou. Ela acabara de deixar uma nova e pequena trilha de cocô de cachorro que começava no meu quarto, mas eu não tinha coragem de lhe falar. Estava muito feliz para me importar depois de ter ouvido a voz de Peter.

    — Quem era esse? — perguntou ela com ar desconfiado.

    — O técnico da geladeira — respondi, mentindo descaradamente para minha própria carne e sangue, mas isso não lhe dizia respeito.

    — Não, não era — disse ela em tom acusador. — Ele está na cozinha, mexendo na geladeira. E disse que talvez precisemos de uma nova.

    — Oh — disse, me sentindo estúpida, quando ela notou a trilha de cocô que fez e deu um gemido. Eu nem podia imaginar com o que o estavam alimentando. Talvez com uma costela de boi por dia, pelo que ele estava produzindo. E depois que ela saiu da sala, chamei a *baby sitter*.

    Até as seis horas eu não disse que estava saindo e que eles iriam ao cinema e comer hambúrgueres. A geladeira estava funcionando novamente, temporariamente segundo o técnico, mas a Dr. Pepper estava fria mais uma vez e todos ficaram felizes. Eu até havia ido ao mercado para comprar mais *pizzas* congeladas e sorvete Rocky Road.

    — Aonde vai? — perguntou Sam cheio de suspeitas. Eu não havia saído desde que eles voltaram para casa e isso era,

Klone e eu

obviamente, motivo para preocupação. Eu devo ter uma vida, afinal de contas, e isso poderia representar para eles uma ameaça real. Quem estaria por perto para levá-los de carro ao 7-Eleven? Ou mudar os canais da TV, ou limpar a sujeira feita pelo cachorro? Em suma: eu era útil.

— Com quem? — perguntou Charlotte mais especificamente.

— Um amigo — respondi vagamente, abrindo uma lata de 7-Up *diet* e cobrindo minha boca com ela, para que não pudessem ouvir o resto do que eu não estava dizendo. Mas crianças têm uma audição extraordinariamente sensível. As minhas pelo menos. Ela ouviu exatamente o que eu disse, embora tivesse engolido a maior parte de minhas palavras com o refrigerante.

— De *Paris*? Ele é francês?

— Não, é americano. Eu o conheci lá.

— Ele fala inglês? — perguntou Sam, parecendo preocupado.

— Como um nativo — garanti. Ambos fizeram cara feia em desaprovação mútua.

— Por que não fica em casa com a gente? — perguntou Sam sensibilizado. Isso parecia razoável para ele. Um pouco menos para mim, considerando a alternativa, que era extremamente atraente. A despeito de mim mesma, e do fato de que sabia mais então, eu gostava de Peter Baker, e também sabia que provavelmente não deveria. Ele era o inimigo no fim das contas, não? Mas não parecia ser do tipo. E eu passara um dia fantástico em Paris ao lado dele.

— Não posso ficar em casa com você — expliquei a Sam.
— Você vai a um cinema com sua irmã.

— Não, não vou. — Charlotte me olhou de um modo feroz, como tivesse se frustrado de uma hora para outra. — Eu disse que iria encontrar alguns amigos na praia às nove horas. —Detesto meninas de treze anos. Elas logo chegam aos quatorze e aos quinze. Isto era apenas o começo.

— Não hoje à noite — eu disse com firmeza. Não ouvi mais nenhum argumento, e desapareci dentro do banheiro para lavar meu cabelo antes do jantar.

A *baby-sitter* chegou às sete e quinze e, olhando para mim com ar ameaçador, Sam e Charlotte saíram de carro com ela às sete e meia. Eles saíram para jantar e tomar a mais recente dose de violência que vinha da telona, um filme que Sam já vira três vezes, mas que Charlotte não havia assistido e não queria. Acenei alegremente para eles da varanda, rezando para que o maldito cachorro do vizinho não voltasse para nos deixar mais um de seus pequenos presentes nos degraus da frente, antes de Peter aparecer.

Estava vestindo uma saia branca de linho e um colar azul-turquesa, quando Peter chegou, meu cabelo estava razoável e o esmalte vermelho nos dedos do pé estava absolutamente perfeito. Roger jamais me reconheceria. Eu não era mais a pobre mulherzinha preguiçosa que ele descartou para ficar com Helena. Nem eu também era como Helena. Eu era eu. Com um nó no estômago do tamanho da minha cabeça e sem a menor idéia do que dizer para Peter. As palmas das minhas mãos estavam úmidas e, no momento em que olhei para ele, soube que estava em apuros. Ele era lindo demais, muito inteligente, muito seguro de si. Estava vestindo um *jeans* branco, uma camisa azul, e seus pés estavam nus dentro de um impecável e engraxado par de mocassins Gucci.

Klone e eu

Esbarrei num apropriado papo de amenidades, lembrando a mim mesma que eu não era um fracasso total, e que todos os maridos de minhas amigas ainda me achavam atraente. Isso tinha que significar alguma coisa. Mas, para a vida que há em mim, apesar disso, eu não podia imaginar o que este homem viu na minha pessoa. Ademais, ele não tinha nenhum jeito de saber que eu costumava ter uma predileção por camisolas de flanela velhas. E não conhecia Roger, por isso ninguém poderia ter dito a ele quão incrivelmente enjoada eu poderia ser. Afinal, havíamos ido ao Louvre juntos, e ao Ritz para tomar martínis. Ninguém havia apontado uma arma para sua cabeça. Por qualquer motivo, ligara para mim. E isso nem poderia ser chamado oficialmente de um primeiro encontro. Já havíamos feito isso, em Paris. Então este seria fácil. Será que seria? Quem eu estava enganando? Eu teria passado por um transplante de fígado com mais facilidade. Nada que dizia respeito a encontros era fácil para mim.

Tomamos um copo de vinho antes, e fiz por onde não derramá-lo nem em mim nem nele. Ele disse que gostou da minha roupa, que sempre adorara azul-turquesa, particularmente numa mulher bronzeada pelo sol. Falamos de seu trabalho, Nova York, e os amigos em comum que tínhamos nos Hamptons. Tudo aconteceu num tom muito maduro e, no momento em que ele me levou de carro para jantar, o nó em meu estômago era do tamanho de um grande pêssego, em vez de uma *grapefruit*. As coisas estavam evoluindo.

Ele pediu um martíni no restaurante e esperei que fosse ficar bêbado, mas não ficou. Acho que se esqueceu de fazê-lo. Falou dos verões de sua infância passados no Maine, e eu relembrei uma viagem à Itália que fizera em minha adolescência e a primeira vez em que me apaixonei. Ele falou de sua ex-mulher e seu filho, e me abstive de contar sobre quão perdedor Roger era. Eu não queria que ele pensasse que eu detestava os homens. Eu não os detestava. Só a Roger. E isso era razoavelmente recente.

Falamos de um monte de coisas e rimos um bocado. E eu continuava pensando em quão diferente ele era dos homens que eu já havia conhecido. Era sensível, receptivo, aberto e engraçado. Disse que adorava crianças e me olhava como se realmente quisesse dizer isso. Falou-me sobre um veleiro que tivera em São Francisco e que fora sua paixão e que estava pensando em comprar outro. Admitiu ter uma fraqueza por carros velozes e mulheres lentas, e rimos um das histórias sobre os encontros do outro. Claramente, muitas das pessoas com as quais ele e eu saímos desde os nossos divórcios tinham algo em comum. Até confessei o que sentia sobre Helena, e como bastava vê-la de vez em quando para machucar meu coração e ferir meu ego.

— Por quê? — perguntou ele simplesmente. — Ela parece ser uma completa idiota, quase tão tola como seu marido, por ter trocado você por uma mulher assim. — Tentei explicar a ele que descuidara de minha aparência e que havia deixado minha vida girar em torno de compromissos com o dentista e levar as crianças para o *playground*. Falhei no entanto ao lhe dizer que agora ela girava em torno de idas a manicures, levar as crianças ao McDonald's e depois ir para casa ver *I Love Lucy*. Imaginei que ele esperava mais do que isso. Uma cardiologista, talvez, ou uma cientista nuclear, algo excitante e *sexy*. Mas ele parecia estar satisfeito com a saia branca e o colar azul-turquesa. Era meia-noite antes que ele me levasse de volta e, quando en-

Klone e eu

tramos em casa, eu estava menos do que excitada ao encontrar as crianças ainda acordadas, vendo TV na sala, com o cachorro dormindo no tapete ao lado de Sam e a babá dormindo no meu quarto.

— Oi. — Charlotte fitou Peter com um ar suspeito, enquanto eu os apresentava. Sam apenas o encarou como se não pudesse acreditar que Peter estava de fato ali ao meu lado. Mas, convenhamos, eu também não podia. O que esse homem estava fazendo em nossa sala, conversando com meus filhos sobre o programa ao qual estavam assistindo? Ele nem parecia amedrontado com isso, com o olhar fuzilante que Charlotte estava lhe dando, ou comigo, que estava logo atrás dele. E logo Sam olhou novamente para mim com interesse.

— Você pisou no cocô mais uma vez, mamãe — disse ele casualmente, quando olhei para baixo e notei a pequena e pastosa trilha atrás de mim. Sorri para Peter.

— É o cachorro do vizinho. Ele alugou a casa ao lado no mesmo mês que nós. O cão está aqui desde que chegamos e dorme com Sam. — Eu estava explicando enquanto me preparava para limpar a sujeira e tirava os sapatos. Tinha gana de matar o cachorro, mas não queria que Peter pensasse que eu detestava cães, no caso de ele ter um. Não queria que ele detestasse nada em mim. E depois me questionei sobre por que isso teria importância. Que diferença fazia? Quantas vezes mais iria vê-lo? Talvez nunca. Se Charlotte tinha sua opinião sobre ele, e talvez até Sam, certamente nunca. O olhar de relance de Charlotte para ele foi mais frio do que a geladeira que havia sido consertada naquela manhã.

Ofereci um pouco de vinho a Peter, mas ele bebeu um dos Dr. Peppers, e sentamos por instantes na cozinha, conversando, enquanto as crianças monopolizavam a sala. E, por fim, acabei indo acordar a moça que ficou com as crianças, para pagar por seus serviços. Ele se ofereceu para levá-la de carro em casa, mas a moça tinha seu próprio automóvel. Depois que ela saiu, ficamos de pé na varanda por um momento e ele perguntou se eu gostaria de jogar tênis na manhã seguinte. Expliquei-lhe que era uma jogadora medíocre, o que era um exagero. Ele disse que também não era nenhum Jimmy Connors; tinha um sutil verniz de humildade, com uma grande camada de saudável autoconfiança. Sentia-se totalmente à vontade na própria pele. Mas tinha bons motivos para tal. Ele era bonito, inteligente e charmoso. E empregado, o que era um alívio. E disse que iria me pegar às dez e meia.

— Você quer levar as crianças? Elas podem jogar em outra quadra ou podemos jogar em duplas.

— Seria divertido — eu disse com ressalvas. Mas, de qualquer maneira, não tinha nenhum outro lugar para deixá-los. A babá que chamei trabalhava o dia inteiro. Eu tinha que levá-los.

Ele partiu em seu Jaguar prateado e voltei para dentro a fim de desligar a TV e mandar as crianças para a cama. O cachorro foi direto para a cama de Sam, numa velocidade maior do que a dele. E Charlotte ficou mais um pouco para expressar sua opinião sobre Peter. Eu mal podia esperar para escutá-la.

— Ele parece um otário — disse ela com autoridade, enquanto eu me dividia entre defendê-lo e fingir que não estava ligando. De qualquer maneira, sabia que estaria em apuros. Se aparentasse ter me importado, isso iria ferir seu orgulho e interesse. Se não, estaria aberta a temporada de caça.

— Por quê? — perguntei casualmente, enquanto tirava o

Klone e eu

colar azul-turquesa. Ele não tinha nada de otário a meu ver. Longe disso.
— Ele estava usando Guccis. — O que ele deveria estar usando? Botas de andarilho ou tênis Nike? Os Guccis me pareciam ótimos, assim como a camisa azul e o *jeans* branco. Pensava que ele tinha um ar sereno, limpo e *sexy*. Isso era suficiente para mim.
— Ele é um nojo, mamãe. Só está saindo com você para usá-la. — Essa era uma observação interessante. Mas foi ele quem pagou a conta e, se tinha a intenção de me "usar", eu não havia notado. E se planejasse outros meios de me usar, eu não estava totalmente avessa a essa perspectiva.
— Ele só me levou para jantar, Char, não pediu minha declaração de renda. Como é que pode ser tão cínica na sua idade? — Será que eu a havia ensinado a ser assim? Ouvi-la fez com que eu me sentisse culpada. Talvez houvesse falado muito vagamente de Roger. Porém, mais uma vez, ele merecia isso. E Peter até agora, não. Mas isso foi apenas o conflito inicial.
— Ele é *gay*? — perguntou Sam com interesse. Ele acabara de aprender a palavra, um sentido relativamente amplo de seu significado, e a usava em todas as oportunidades, mas garanti que achava que não.
— Pode ser que ele seja — opôs-se Charlotte para ajudar.
— Talvez tenha sido por isso que a esposa o abandonou. — Era como se estivesse ouvindo minha mãe.
— Como sabe que foi ela? — perguntei, claramente na defensiva.
— Foi ele que a deixou? — perguntou ela, parecendo afrontada, a defensora da feminilidade ultrajada, Joana d'Arc com um Dr. Pepper no lugar do sabre.

— Não tenho idéia de quem deixou quem, e acho que isso não lhe diz respeito. E, por falar nisso — disse, aparentando uma tranqüilidade que estava longe de estar sentindo —, vamos jogar tênis com ele amanhã.

— O quê? — gritou Charlotte enquanto eu botava Sam e o cachorro para dentro, seguindo-me até meu quarto, onde eu quase havia esquecido que ela ainda estava dormindo comigo.

— Eu *odeio* tênis!

— Não odeia, nada. Você jogou o dia inteiro ontem. — Ponto para mim. Mas só por um instante. Ela era mais rápida.

— Foi diferente. Estava jogando com garotos, mamãe, ele é um ancião. Provavelmente terá um ataque do coração e vai morrer na quadra. — Ela parecia esperançosa.

— Não creio. De qualquer maneira, acho que ele pode agüentar um monte de *sets*. Vamos ser condescendentes com ele.

— Eu não vou. — Ela se jogou na cama, me olhou de modo penetrante, e pensei em estrangulá-la, só sendo contida pelo medo profundo que sinto da prisão.

— Vamos falar sobre isso de manhã — repliquei calmamente, fui para meu banheiro e fechei a porta. E, enquanto lá estava de pé, olhei-me no espelho. O que eu estava fazendo? Quem era esse homem? E por que eu me importava com o fato de as crianças gostarem ou não dele? Dois encontros com ele e já estava tentando vender o seu peixe para Sam e Charlotte. Todos os avisos de perigo estavam lá. Isso tinha todas as características de uma história verdadeiramente assustadora. Talvez ela estivesse certa. Talvez eu devesse cancelar o programa matinal. Além do mais, se meus filhos o detestaram, que sentido havia em tentar engatar um romance com ele? Um *o quê*? Apertei ainda mais

Klone e eu

os olhos e joguei água fria no rosto para apagar o que estava pensando. Já podia ouvir os leões no Coliseu começando a lamber os beiços, antegozando o jantar.

Pus uma camisola, apaguei as luzes, fui para a cama. Charlotte estava esperando por mim. Ela aguardou até que eu estivesse deitada na cama no escuro, e soou como a menina de O *exorcista* quando me fez a pergunta:.

— Você realmente gosta dele, não é?

— Eu mal o conheço. — Queria aparentar inocência, mas até eu mesma podia ouvir que soava solitária. Mas a verdade era que tinha sido. E ela estava certa. Eu gostava dele.

— Então por que está nos forçando a jogar tênis com um estranho?

— Então não jogue com ele. Leve um livro. Você pode fazer a sua leitura escolar de verão. — Eu sabia que isso ia convencê-la. Em tom alto, ela fez comentários inadequados, virou de lado e em cinco minutos já estava dormindo.

E Peter estava na varanda com sua raquete de tênis, de *short* branco e uma camiseta, às dez e quinze da manhã seguinte. Fingi ignorar o fato de que ele tinha as melhores pernas que eu já vira. Gostaria que as minhas fossem tão boas, enquanto sorria para ele e abria a porta de tela. Sam estava na mesa da cozinha, comendo sucrilhos e tomando um Dr. Pepper. Era um vício sério.

— Dormiu bem? — perguntou Peter, sorrindo para mim.

— Como um bebê.

Papeamos por um minuto, até que Sam derrubou os sucrilhos na pia, fazendo com que se espalhassem por toda parte. Charlotte apareceu na cozinha, olhando para todos com ar ameaçador. Mas ela carregava sua raquete.

Ele havia reservado duas quadras num clube da vizinhança, um bem tradicional e exclusivo ao qual Roger sempre quis se associar, mas cujo título tinha de ser legado pela família. Roger iria detestar Peter. Peter era tudo que ele não era.

Assim que chegamos, Charlotte sugeriu que jogássemos em duplas. Soube então que eu estava em perigo. Ele achou que ela estava sendo amigável. E insistiu para que eu fosse sua parceira. Peter jogou ao lado de Sam, que estava aprendendo e se sentindo levemente enjoado da viagem de carro até lá. E então Charlotte jogou com entusiasmo para cima de Peter. Ela deu o melhor de si. Nunca a vi jogar tão bem, ou com tanta energia e virulência. Se ela tivesse treinado para as Olimpíadas de Verão, eu teria ficado orgulhosa. Mas, do jeito que foi, me surpreendi por Peter não a ter atingido com sua raquete ou tentado matá-la. Ela não teve piedade. E quando o jogo acabou, ela sorriu para ele.

— Ela joga muito bem — disse ele caridosamente depois, parecendo tranqüilo com seu desempenho. Eu queria enforcá-la outra vez, e fiquei aliviada quando ela viu amigos tomando Coca no bar e me perguntou se podia se juntar a eles. Eu disse que sim, se levasse Sam, o que ela não fez. E depois pedi desculpas a Peter pela sede de sangue que Charlotte demonstrara na quadra.

— Foi divertido — disse ele e aparentava querer dizer isso mesmo. Essa foi a primeira vez que suspeitei que ele era maluco.

— Ela está tentando provar que tem razão — disse eu, como se estivesse arrependida, e ele riu.

— Ela não precisa disso. Sou relativamente inofensivo. Ela é uma garota brilhante e provavelmente está preocupada com o que sou e com o que estou fazendo aqui. Isso é bem normal. Mas fique sabendo: estou gostando muito de Sam. — E eu o amava por isso. Tive uma fantasia momentânea sobre o fato de eles se tornarem amigos, mas logo a reprimi instantaneamente. Não havia sentido em alimentar minhas expectativas.

Conversamos com desenvoltura por algum tempo e depois fomos almoçar com Sam. Charlotte almoçou com seus amigos no terraço e parecia ter se esquecido de Peter. Depois de tê-lo humilhado na quadra, parecia ter perdido o interesse por ele. Havia dois garotos de quatorze anos no grupo bem mais cativantes do que ele.

Depois do almoço, Sam nadou na piscina e sentamos por perto para vê-lo. Peter e eu falamos sobre uma variedade de coisas e nos surpreendemos ao descobrir que dividíamos as mesmas opiniões sobre política, gostávamos dos mesmos livros e tínhamos o mesmo gosto no que dizia respeito ao cinema. O que mais havia? Nada, realmente. Ambos gostávamos de hóquei e éramos torcedores dos Rangers há muito tempo. E havíamos visitado e amado os mesmos lugares na Europa. Ele prometeu me levar para velejar. Falei de um *show* no Met ao qual estava doida para assistir e ele se ofereceu para ir comigo.

Foi um fim de semana incrível, e assim foi o seguinte, e o outro que o sucedeu. Charlotte ainda achava que ele era um otário, mas havia menos energia em suas reclamações. As crianças viram bastante a babá naquele verão. E ele até se ausentou uma ou duas vezes durante a semana para passar a noite num hotel e jantar comigo. Ele definitivamente não se encaixava no perfil dos homens com os quais eu andara saindo. Ele era humano.

Já havíamos passado alguns momentos nos beijando seriamente àquela altura, porém nada mais do que isso e, toda noite, quando eu voltava para casa, Charlotte estava me esperando diligentemente para me submeter a um interrogatório. Eu podia chegar flutuando na nuvem onde Peter havia me deixado, que encarava o olhar fixo de Charlotte como se fosse uma ducha de água gelada.

— E aí? — sempre começava assim. — Ele te beijou?
— Claro que não. — Eu me sentia uma idiota mentindo para ela, mas como você pode admitir para sua filha de treze anos que estava fazendo de conta com um homem num Jaguar? Quando eu tinha a idade dela, chamavam isso de "ficar de agarramento". Eu poderia ter me saído com uma história de viajar através do tempo para explicar a terminologia usada para definir atos sexuais inofensivos ao longo dos séculos, mas eu conhecia Charlotte melhor do que isso. Ela não iria cair nesse conto-do-vigário. Mentir para ela parecia ser mais simples. Ademais, de algum modo eu me agarrara à crença de que, fosse lá o que acontecesse, ou o que você fizesse ou não, tinha de fingir que ainda era virgem. Tinha essa mesma obsessão quando namorava na faculdade. Roger sempre achou isso muito engraçado.

Mas Charlotte simplesmente ignorou tudo.

— Você está mentindo, mamãe. Sei disso. — Tudo bem, então é isso? O que é agora?— Àquela altura, não havia qualquer certeza de que seria mais do que aquilo, então que sentido havia em fazer uma confissão? Ele nunca me pediu para passar a noite no hotel, e também não me ofereci. E, além do mais, eu tinha que voltar em casa para pagar a babá. Seus pais iriam me matar se eu a deixasse fora de casa a noite toda, e minhas crianças iriam fazer o mesmo. Voltar para casa e ouvir o interrogatório de Charlotte era bem pior do que voltar para a casa dos meus pais quando eu estava no ginásio.

— Sei que você vai fazer aquilo com ele, mamãe — acusou ela finalmente, no final de agosto, e eu estava começando a achar que ela estava certa. Como sempre, sua percepção extra-sensorial estava a toda. Estávamos um pouco encantados um com o outro quando deixamos o restaurante naquela noite e começamos uma série de afagos e carícias pra valer. Mas, felizmente, ambos recobramos o juízo. Charlotte teria ficado orgulhosa de mim, em vez de ficar me olhando tão ultrajada.

— Charlotte — repliquei calmamente, tentando não me lembrar da sensação de suas mãos se insinuando lentamente por baixo de minha blusa e os sentimentos que esse gesto despertou em mim. — Não vou *fazer aquilo* com ninguém. Além do mais, você não tem autoridade para dizer coisas como essas, eu sou sua mãe.

— E daí? Helena está sempre andando pelada de um lado para o outro na frente do papai, depois eles vão para o quarto e trancam a porta. O que você acha que isso significa? — Outra ducha de água gelada. Eu não queria ouvir falar sobre o que Roger fazia com Helena.

— Isso não me diz respeito e nem a você — respondi com firmeza, mas Charlotte não desanimava tão facilmente.

— Acho que você realmente tem uma queda por ele, mamãe. — Ela deu um sorriso forçado e demoníaco; a criança de *The Bad Seed* estava largada na soleira da minha porta, enquanto olhei para ela novamente em pânico.

— Quem? Papai? — Eu não tinha nenhuma "queda" por Roger há anos, como ela colocava, e pensar nisso não me animava.

— Não, mamãe... Refiro-me a Peter.
— Oh. — A garota não deixava escapar nada. — Eu apenas gosto dele, isso é tudo. Ele é um bom homem, e gostamos de passar o tempo um ao lado do outro.
— É... e a próxima coisa que você sabe é que vai fazer aquilo com ele.
— Fazer o quê? — interpôs-se Sam enquanto entrava na sala com o cachorro. Os vizinhos que eram seus donos deviam ter pensado que ele fora acampar durante o mês, mas mesmo quando voltava para visitar seus donos de vez em quando, o cão nos deixava pequenos presentes regularmente. — Fazer o quê? — perguntou Sam novamente, enquanto se esforçava para pegar um Dr. Pepper. Era tarde, mas ele disse que tivera um pesadelo. O mesmo havia acontecido comigo. O nome do meu era Charlotte. Ela teria conseguido uma cadeira de honra na Inquisição espanhola.
— Eu disse à mamãe que ela iria fazer aquilo com Peter, se é que já não fez.
— Fazer O QUÊ? — gritou ele exasperadamente para sua irmã, enquanto eu tentava botar ambos para dormir. Era inútil.
— Fazer sexo com ele — explicou Charlotte ao irmão mais novo, enquanto eu empurrava o cachorro através da porta de tela, esperando que ele se sentisse instigado a esvaziar a bexiga e o intestino na grama, em vez de fazê-lo em nossos tapetes alugados.
— Não estou fazendo sexo com ninguém — eu disse, cortando-a abruptamente. — E vocês dois vão para a cama, AGORA!
— Claro, mamãe, livre-se de nós, assim você não vai ter que nos dizer o que está acontecendo com Peter. — Charlotte ma-

nobrou a situação a ponto de parecer tão insultada como alguém que reprovava a minha atitude.

— *Nada* está acontecendo com Peter, mas vão acontecer muitas coisas com vocês dois se não colocarem os traseiros na cama. Vão embora, já chega. — Ela me dirigiu um olhar demoníaco e saiu em direção à cama, enquanto Sam bocejava, derramava sua Dr. Pepper depois de tê-la largado e ia para o jardim para trazer o cachorro de volta. Ambos voltaram menos de um minuto depois. Ele e o cachorro do inferno que, ao me ver, balançou tanto o rabo de felicidade que lambeu os restos de Dr. Pepper que estavam no balcão da cozinha.

Toquei Sam para dentro do quarto e sentei-me no sofá da sala com um suspiro, antes de ir para meu próprio quarto, para deitar na cama com Charlotte. Era difícil manter o astral romântico quando eu estava sendo atormentada pelas crianças. E como conseguiria explicar isso a elas? Estava rapidamente ficando óbvio para mim que não havia jeito de introduzir Peter de forma definitiva no meu ambiente doméstico. Podíamos sair para jantar, ou levá-las conosco ocasionalmente, e ele podia esperar, certamente. Mas eu nem conseguia começar a imaginá-lo passando a noite comigo, debaixo do mesmo teto de minhas crianças. Não tinha dúvidas em minha mente de que Charlotte iria pelo menos recorrer à delegacia de costumes. Bem, pensei melancolicamente, enquanto desligava as luzes e ia para a cama... talvez algum dia. Depois que Sam for para a faculdade.

E, inevitavelmente, as previsões de Charlotte provaram-se corretas. Peter pensou em vir no fim de semana quando ouviu que as crianças iriam passar o feriado do Dia do Trabalho com o pai. Eu esperava que ele ficasse no hotel, como sempre, e tive

um sobressalto quando sugeriu que, desta vez, eu ficasse no hotel com ele.
— Eu... hã. Eu não havia... Eu não... Normalmente eu não... — disse eu suavemente, de súbito mortificada apesar das incursões que fizemos nessa direção desde o começo de agosto. E depois surpreendi a mim mesma, ao me lembrar de que era uma adulta e de que Charlotte não saberia nada sobre isso. — Por que você não fica aqui? — perguntei delicadamente.
— Seria ótimo. — Podia imaginá-lo sorrindo ao dizer isso. E ainda estava corada quando desliguei o telefone. Era ridículo me intimidar com coisas como essa na minha idade. Ridículo, talvez, mas eu me sentia como uma adolescente fugitiva prestes a ser presa pelos policiais quando o vi chegando de carro na minha rua. Eu usava *jeans* rosa, uma camiseta rosa e um novo par de sandálias de tira da mesma cor. Havia jogado fora todas as minhas velhas. E, enquanto olhava no espelho, achava que estava parecendo uma enorme porção de algodão-doce, mas Peter parecia não se importar.

Ele me beijou assim que entrou pela porta da frente e largou sua mala. Aquele simples gesto me pareceu subitamente ameaçador, como se fosse o símbolo de um enorme compromisso. O que aconteceria se eu me acovardasse e não quisesse "fazer aquilo"? E se eu mudasse meus planos? O que transcorreria se Charlotte e Sam não tivessem realmente viajado e estivessem escondidos no guarda-roupa? Mas eu os vira partir duas horas antes, no carro com Roger. Tempo suficiente para entrar num banho quente, e abandonar o ar de maternidade para me transformar na rainha do sexo para Peter.

— Oi — disse ele, puxando-me para seus braços e me beijando novamente, enquanto eu me perguntava se ele sabia

Klone e eu

que eu estava nervosa. — Trouxe umas compras — disse ele calmamente para depois me encarar com uma pergunta nos olhos. — Ou será que você prefere sair? Sou de fato um bom cozinheiro, se é que acredita em mim. — Essa era de fato uma pergunta interessante para a qual, com certeza, eu não sabia a resposta. Será que eu confiava nele? A verdade era que eu confiava. Mas será que eu devia? E se ele fizesse isso o tempo todo?... escolhesse pessoas em pequenos hotéis, tomasse vinho e almoçasse com elas por um mês... e depois o quê? O que eu pensava que ele ia fazer comigo? E se ele não fosse realmente divorciado, ou tivesse umas mil namoradas em Nova York e na Califórnia? mas enquanto eu o ajudava a desempacotar a comida e ele me beijava de novo, com mais paixão dessa vez, decidi que isso realmente nada importava. Eu estava louca por ele. E não importava quão demoníaco ele se tornaria no fim das contas, não poderia ser pior do que Roger.

Colocamos os bifes que ele trouxe no congelador, assim como os ingredientes da salada. E ele pôs a garrafa de vinho tinto em cima da mesa, em algum lugar às nossas costas, e de algum modo, naquele momento, perdi a noção de onde estavam as compras. Ele começou a tirar lentamente o que eu vestia e me fazia parecer um algodão-doce. E, aparentemente sem qualquer esforço, nossas roupas formaram uma trilha de rosa e branco, azul e cáqui, e o que eu notei em seguida foi que estávamos deitados nus em minha cama, enquanto o sol morria dentro do oceano e eu me sentia sem fôlego. De repente, nunca desejei tanto ter alguém como este homem, nunca confiei tanto em alguém, nunca me dera tanto quanto me dei a ele, nem mesmo a Roger... Eu estava faminta. E o que aconteceu em seguida parecia um sonho, conforme o que pensei depois.

Deitamos um nos braços do outro, e falamos, e nos beijamos, e cochichamos, e sonhamos, e descobrimos coisas sobre cada um de nós que eu desejava ardentemente saber sobre ele e que ele precisava saber sobre mim. Era meia-noite quando finalmente pensamos no jantar.

— Faminta? — perguntou ele com voz rouca enquanto rolava na cama e eu tocava sua pele acetinada. Mas só consegui gemer à pergunta.

— Deus, Peter... outra vez não... eu não poderia.

Ele riu enquanto se encostava no meu corpo, me beijava e sussurrava:

— Estou falando do jantar.

— Oh... — Eu me senti estranhamente tímida ao seu lado, e relaxada ao mesmo tempo. Tudo era tão novo, e tão diferente de qualquer coisa que conhecera antes em minha vida. Havia algo tão carinhoso no jeito como olhava para mim, tão gentil. E, contudo, fomos amigos antes mesmo de nos tornarmos amantes, e eu gostava disso. — Quer que eu faça alguma coisa para você comer? — perguntei, deitada confortavelmente na cama que havíamos feito nossa, lamentando que não pudéssemos ficar lá para sempre, mas imensamente satisfeita por Roger ter viajado com as crianças no fim de semana.

— Pensei que era eu que ia fazer o jantar para você. — Ele me beijou mais uma vez e por um minuto pensei que tudo ia recomeçar, mas estávamos cansados e saciados, e de repente percebi que morríamos de fome.

No fim, decidimos desistir dos bifes e optamos por uma omelete, que Peter preparou à perfeição com presunto e queijo, e a salada que ele trouxera para o jantar. Ele estava certo. Era um excelente cozinheiro, quase tão bom quanto era como amante.

Klone e eu

Mais tarde, fomos dar uma caminhada na praia e a seguir voltamos para casa com seu braço à minha volta, e adormecemos nos braços um do outro naquela noite, com todo o delicioso frescor e a falta de perícia que vem de não saber como alguém dorme ou de que lado o faz, se gosta de ficar enroscado ou de ser largado sozinho. Mas Peter fez com que isso fosse fácil para mim. Ele simplesmente me puxou em sua direção, me abraçou forte e, um momento antes de adormecermos, me vi questionando se Charlotte iria saber, com aquela abominável percepção extra-sensorial das adolescentes de treze anos de idade, que "fizéramos aquilo". Meus olhos abertos palpitaram enquanto pensava nisso, fitaram Peter e depois eu sorri... ele ficava tão lindo deitado ali do meu lado. Desculpe, Charlotte.

Houve mais no dia seguinte. Fizemos amor outra vez quando acordamos e depois preparei o café da manhã para ele. Nadamos, conversamos, comemos e demos longas caminhadas. Passamos a maior parte do fim de semana na cama e, lá pelo final do feriado, mais do que queria, ou do que eu ousei dizer a ele, havia uma parte de mim que lhe pertencia. Estava me apaixonando. Correção. Eu me apaixonara por ele. Tudo foi tão doce, tão bom, tão certo, tão carinhoso. Estava perdida.

E quando ele me levou de carro para a cidade, na noite de segunda-feira, depois que fechei a casa, disse que iria passar algum tempo na Califórnia em setembro.

— Você passa muito tempo por lá? — perguntei casualmente, imaginando se ele estava me dizendo que aquilo era o fim de um breve romance de verão, ou algo com o qual teria de me acostumar. Supus que poderia me adaptar a qualquer situação por ele. Eu não me sentia deste jeito desde que estava no ginásio, mas detestaria que ele soubesse disso tão cedo. Era embaraçoso perder as estribeiras por um sujeito que eu conhecera há menos de dois meses. Como é que isso podia acontecer comigo? Eu sabia bem. Fora casada por treze anos com um homem que amava e no qual confiava, e ele ainda conseguiu me olhar nos olhos e me dizer que não me amava. Este também finalmente acabaria fazendo o mesmo. Eu sabia disso. Era uma adulta. Então, concluí que o aviso sobre a Califórnia tinha um significado mais profundo, mas ele pareceu mais relaxado quando disse isso e, quando paramos em frente ao meu prédio, ele me beijou.

— Está tudo bem, Steph — disse ele, embora tivesse sentido o meu pânico. — E não se preocupe com a viagem. Desta vez, só vou ficar lá por duas semanas. — Meu coração sentiu um pequeno baque. Era como se ele tivesse entendido o que eu estava sentindo e o fato de que agora eu iria realmente sentir falta dele. — Mas tenho uma surpresa para você enquanto estiver longe. Não vai nem sentir a minha falta.

— O que é? — perguntei inocentemente, aliviada por tudo que ele dissera até então. Ele estava indo para a Califórnia, mas não parecia estar abandonando a relação. Ainda não. E eu não podia deixar de me questionar sobre que surpresa seria aquela. Perguntei-lhe a respeito, enquanto ele me ajudava a levar minha bagagem para cima. Como é de costume, o porteiro sumiu assim que a viu.

— Você verá — disse Peter misteriosamente, referindo-se mais uma vez à surpresa. — Não vai ficar sozinha nem por um minuto — prometeu. Ele iria partir em dois dias, o que nos deu algum tempo para apreciarmos Nova York juntos.

Na noite anterior à partida, ele me levou para jantar no "21", onde todos o conheciam. E depois voltamos para o seu apartamento e fizemos amor. Foi ainda melhor do que no fim de semana. O tempo que passei com Peter foi mágico, e ficava triste ao lembrar que ele iria embora de manhã. As crianças ficaram com Roger e Helena na noite que passei com ele e, ao deixar-me em casa de manhã, falou que me amava, e respondi que o amava também. Isso foi antes de saber qual era a surpresa. Havia esquecido dela por um momento. Parecia subitamente ter perdido a importância diante do que ele acabara de me dizer. Ele dissera que me amava. Mas o que aquilo significava?

Capítulo Quatro

Peter ligou do aeroporto antes de viajar, e parecia estar num bom astral. Mais uma vez, fez uma vaga referência à surpresa, e depois teve de correr para pegar o avião. Bateu um sentimento estranho depois que ele partiu. Ficara estranhamente acostumada com ele no curto espaço de tempo que partilhamos. Nosso caso teve todos os elementos de um romance fabuloso e, contudo, havia um nível de conforto e uma tranqüilidade entre nós que era quase como se fôssemos casados. Eu adorava ficar com ele. Nunca houve ninguém como ele na minha vida. Nem mesmo Roger. Tudo era muito diferente. Era algo mais amadurecido, mais respeitável, e mais confortável de muitas maneiras. Tínhamos grandes momentos, ríamos um bocado, conversávamos constantemente e gostávamos de ficar juntos. Não havia nenhuma das situações difíceis ou das decepções que tivera com Roger. Peter era demais.

Ele havia conquistado Sam semanas antes, mas Charlotte continuava a lançar olhares ameaçadores. Ela ainda atribuía a ele as piores motivações possíveis, e levantava calúnias à menor oportunidade, provavelmente porque Peter gostava de mim e me fazia feliz. Ele tinha noção da hostilidade, mas não parecia se perturbar com isso, o que o fazia se assemelhar ainda mais a um herói para mim. Não importava o quanto ela abusava dele, sutilmente ou de outro jeito, Peter lidava de forma afável com a situação. Nada parecia perturbá-lo. Era o bom samaritano completo, e realmente parecia gostar de meus filhos.

Mais tarde, naquele mesmo dia, Charlotte estava para me falar sobre quão feliz se sentia por ele ter viajado e que esperava que o avião caísse, descrevendo como as chamas iriam devorá-lo em seguida, quando a campainha tocou. Eu preparava o jantar e não gostava do que ela estava dizendo, pois sabia que ele ainda estava no meio de seu vôo para a Califórnia, ou pelo menos assim eu achava. Quer dizer, até eu abrir a porta, vestindo um avental e carregando uma concha. Era a primeira semana de aulas, e Sam estava em seu quarto fazendo o dever de casa. Charlotte desapareceu em direção ao seu ao som da campainha, como se soubesse que ele estava vindo.

Fiquei surpresa do porteiro não ter anunciado quem estava subindo e imaginei que, quem quer que fosse, havia passado sem ser notado, ou talvez fosse alguém do prédio com uma encomenda para mim. Mas de jeito nenhum eu estava preparada para o que vi, quando abri a porta e quase derrubei a concha que estava segurando. Era Peter vestido com um tipo de roupa que eu nunca vira em qualquer época, qualquer tempo, e qualquer um, muito menos em Peter. Usava uma calça comprida e apertada de cetim verde fluorescente, que chocava de tão reveladora; uma camisa preta de filó transparente que cintilava; e um par de botas de *cowboy* de cetim preto, que eu havia visto num anúncio de Versace, além de fivelas feitas de imitações de diamante. Lembro-me de ter me perguntado especificamente sobre quem poderia usar aquilo, quando as vi. O cabelo dele estava penteado para trás, diferente do normal, e estava sorrindo para mim. Era Peter, não havia dúvida, e me havia pregado a maior peça. Não tinha deixado a cidade, afinal, e estava vestido para o Halloween, se bem que um pouco cedo demais. Havia uma grande distância entre esse visual e o imaculado *jeans* branco, os sapatos cáqui bem engraxados, e as camisas *oxford* azuis de que eu gostava tanto.

Lancei-me em seu pescoço com uma gargalhada. Foi uma brincadeira terrível, mas adorei.

— Você está aqui!... E que disfarce! — Notei que usava uma loção de barbear diferente. Gostei de seu aroma, mas era bem mais forte e me fez espirrar. E enquanto me seguia de volta para a cozinha, ele andava de uma maneira escandalosa e arrogante. Estava quase mexendo os quadris e, enfiado naquelas roupas, me lembrava um híbrido de Liberace, Elvis e Michael Jackson. Parecia que estava prestes a subir num palco de Las Vegas.

— Gostou? — Ele parecia feliz com o fato de eu ter gostado do seu traje, e por isso me deu um largo sorriso.

— É uma baita surpresa... O que mais gosto é que você está aqui. — Não conseguia parar de exibir meu sorriso enquanto o fitava, e larguei a concha enquanto o contemplava dando voltas na minha cozinha. Eu mal podia esperar para que as crianças o vissem, especialmente Charlotte, que andava reclamando por ele ser tão conservador e enfadonho. Definitivamente, isso não era nada enfadonho: nem a peça que ele me pregou, nem a roupa que usou para fazê-lo.

— Ele lhe disse que eu estava vindo, não? — perguntou

ele, enquanto se escarranchava em uma das cadeiras da cozinha e subia a mão por dentro do meu vestido. Era um gesto que ele nunca fizera com as crianças tão perto. Mas, felizmente, ambos estavam em seus quartos, fazendo o dever de casa.

— Quem? — fiquei confusa com a pergunta. Ninguém havia estragado a surpresa, como poderiam? Eu ainda não havia conhecido muitos de seus amigos. Era muito cedo ainda e ele não tivera tempo para me apresentar.

— Peter — disse ele, passando sua outra mão na outra perna, enquanto eu delicadamente tirava ambas. Se uma das minhas crianças entrasse, eu não iria nem querer vê-las. Isso poderia chocá-las, mas as sensações que estava causando eram, com certeza, agradáveis.

— Peter quem? — Ele me perturbava tanto, não só com sua aparência, seu comportamento e com o fato de estar lá, que eu não podia me concentrar no que estava dizendo. Ainda não conseguira engolir o fato de que ele não tinha ido para a Califórnia, e estava feliz por não tê-lo feito.

Ele falou como se estivesse se dirigindo a uma criança, com cuidado e paciência, enquanto, desta vez, eu afastava suas mãos gentilmente e olhava para ele, tentando entender o que estava dizendo.

— Peter não disse que eu viria aqui?

— Muito engraçado. Não, você não me disse que viria aqui. Você me disse que iria para São Francisco, e estou vibrando com o fato de não ter ido.

— Eu fui — disse ele, rindo habilmente. — Quer dizer, ele foi. Saiu hoje de manhã e me disse para passar aqui na hora do jantar. E me avisou que antes dessa hora você não estaria em casa, pois iria pegar as crianças no colégio.

Klone e eu

— Você é totalmente ultrajante — disse, dando sonoras gargalhadas. — Está fingindo que *não* é Peter? É esse o seu jogo? — De fato, o tal jogo era muito engenhoso e me divertia totalmente. Ele parecia tão descaracterizado; era perfeito.

— Não estou fingindo nada. Foram necessários anos para me aperfeiçoar. A princípio, foi apenas uma experiência. Mas foi tão bem-sucedida que ele quis dividir o segredo com você.

— Que segredo? — Estava entretida, porém desconcertada. Ele falava em enigmas. Talvez fosse parte da fantasia, que era das boas. A calça verde fluorescente parecia que iria se consumir em chamas enquanto ele se movia com agilidade pela cozinha.

— Eu sou o segredo! — disse com orgulho. — Ele não lhe disse nada antes de partir? — Ele estava rindo, e eu também.

— Disse que eu iria ter uma surpresa — falei, entrando a contragosto no jogo dele. Era difícil não entrar.

— *Eu sou* a surpresa — revelou, todo prosa — e o segredo. Eles o clonaram.

— Quem o clonou? Clonaram quem? Do que está falando? — Eu estava rindo, mas, subitamente, de nervosa. Era enervante. Comecei a me perguntar se ele tinha um irmão gêmeo, ou um senso de humor muito mais incomum do que eu suspeitara a princípio. A calça verde fluorescente foi a primeira pista.

— O laboratório — explicou ele, enquanto abria o guarda-louças e procurava por alguma coisa. — Peter deve ter dito a você que trabalhava com engenharia biônica. Sou, até agora, sua experiência mais bem-sucedida — disse com orgulho.

— O que está procurando? — Ele estava tirando tudo de

dentro, e parecia muito determinado a encontrar o que quer que quisesse.

— O uísque — disse ele simplesmente.

— Você não bebe uísque — lembrei-lhe, enquanto me questionava se isso também era parte do jogo. E então, de repente, tive uma terrível percepção. E se ele fosse esquizofrênico ou tivesse múltiplas personalidades? Será que isso era possível? Será que podia acontecer? Talvez, mesmo sendo amoroso e maravilhoso como poucos, ele fosse maluco. Talvez não existisse nenhuma empresa de engenharia genética em São Francisco. Talvez nunca tivesse havido uma mulher, ou um filho, ou qualquer coisa. Comecei a entrar em pânico assim que ele se serviu de um copo cheio de uísque puro. Isso não era mais engraçado. Era muito convincente. — O que está fazendo? — A essa altura ele já havia enchido o copo, e tudo em que eu conseguia pensar era em Joanne Woodward no filme que falava sobre a mulher possuída por dezenas de personalidades diferentes. Vi o filme quando era pequena e fiquei bastante assustada. Isso era tão aterrorizante quanto. Talvez pior. Ele parecia acreditar no que estava me dizendo.

— Ele não bebe uísque — explicou ele, sentando-se novamente, mas dessa vez a mão inquieta estava segurando o copo. Ele nem se importou em misturar água, soda ou pedras de gelo na bebida, que começou a entornar como se fosse Dr. Pepper. — Eu bebo — disse alegremente depois do primeiro e prolongado gole. Logo, metade do copo ficou vazia. — Ele bebe martínis.

— Peter, pare com isso. Estou feliz de você estar aqui. É uma surpresa maravilhosa. Mas pare com esse jogo. Estou ficando nervosa.

Klone e eu

— Por quê? — Ele pareceu magoado com minha reação, e tomou outro gole de uísque, para depois arrotar alto e limpar a boca com a manga da camisa. — Não fique nervosa, Steph. Isso não é um jogo. Esse é o presente de Peter. Ele fez com que eu fosse mandado da Califórnia só para você.
— Como é que chegou até aqui? Num disco voador pilotado por alienígenas? Peter, pare com isso!
— Meu nome não é Peter. É Paul. Paul Klone. — Ele levantou e arqueou o corpo para baixo, espirrando um pouco do uísque na calça verde fluorescente, mas não pareceu se importar. Eu havia sido hipnotizada por ele.
— Por que está fazendo isso? — perguntei, sorrindo. — Pare de me provocar. Isso é maluquice.
— Isso não é maluquice. É maravilhoso — disse ele com orgulho. — Dez anos atrás, ninguém poderia ter feito isso. Foi sua pesquisa que fez com que eu me tornasse possível, quer saber? Ele é um gênio.
— Não, ele é um doido, aparentemente. — Nesse instante, franzi meu olhar em sua direção, imaginando se, de repente, esse não era o seu irmão gêmeo, e a surpresa era a de que eu nunca soubera disso. Mas essa não era a melhor maneira de me apresentar a ele. — Diga-me a verdade, você é o irmão dele?
— Não, nada tão mundano. Sou realmente quem disse que era. Meu nome é Paul e posso fazer tudo o que ele faz... exceto — olhando com ar escusatório — vestir sapatos cáqui. Não os suporto. A princípio ele tentou me programar para usá-los, mas isso sempre bagunçava os meus sistemas. Você sabe, o *blazer*, a camisa branca, aquelas gravatas horrorosas que ele usa. Tudo isso me botava completamente em curto-circuito, portanto ele

me deixa escolher meu próprio guarda-roupa. — Ele apontou para as botas de cetim com as fivelas de diamante falso, e as fitei. Isso era a loucura em sua forma mais grandiosa. Depois de todos os momentos maravilhosos que compartilhamos no último mês, isso de repente vinha como um pesadelo. Foi pior do que ouvir Roger me dizer que não me amava mais. Peter era maluco. — Você está com a mesma cor da minha calça — disse ele com simpatia. — Está grávida?

— Acho que não — disse abatida, mas de fato estava atordoada. Se isso era uma encenação, foi a melhor que já vi. Se não, se realmente acreditava no que estava dizendo, ele era um homem muito desequilibrado. Havia me apaixonado por alguém tão doente, tão insano, que não agüentava nem pensar.

— Você gostaria de engravidar? — perguntou-me então, enquanto se servia de mais um copo cheio de uísque. Ele teve um leve acesso de soluços e estão, subitamente, senti o cheiro de algo queimando. Era o nosso jantar. Estava com uma galinha no forno que parecia ter sido incinerada no momento em que abri a porta do forno para checar. — Não se preocupe. Posso levar vocês para jantar. Estou com o cartão American Express dele. Ele não sabe. — Parecia estar muito feliz com isso.

— Peter, estou me sentindo muito mal para ir a qualquer parte. Isso *não* é engraçado. — E queria dizer isso mesmo. Já me cansara do jogo àquela altura. Mas ele estava adorando cada minuto.

— Desculpe. — Ele parecia abatido. Agora podia ver como eu estava pertubada, mas isso só fez piorar sua crise de soluços. O que as crianças iriam pensar quando o vissem, se ele insistisse em contar essa história insana? Que eu ou ele devíamos estar internados no Bellevue. E eu estava pronta a me candidatar a uma vaga caso ele não começasse a agir como um ser normal outra vez. — Você sabe, se quiser ficar grávida, Steph, provavelmente é mais fácil para mim do que para ele. Eles fizeram todos os ajustes nesse sentido no ano passado.

— Como me tranqüiliza ouvir isso. Mas não, não quero engravidar. Só quero que se comporte como o homem pelo qual me apaixonei. — Eu estava a ponto de me debulhar em lágrimas, mas não queria demonstrar que estava agindo sem esportiva, se ele estivesse apenas brincando. Rezava para que fosse apenas uma faceta de seu senso de humor que eu ainda não percebera, combinada com o uísque. Ele encheu um terceiro copo, enquanto eu o encarava.

— De fato, sou bem mais gentil do que ele, Steph. Basta me conhecer para se apaixonar. — Logo depois, ele deu uma risadinha, largou o uísque e veio em minha direção para me envolver com seus braços. E, de repente, tudo o que dizia respeito a ele parecia familiar mais uma vez, apesar da loção pós-barba que fazia o meu nariz coçar. Apoiei a cabeça sobre sua ridícula camisa preta e podia ver seu tórax através dela. Ele usava um grande medalhão de diamante com o símbolo da paz preso numa corrente do mesmo material que eu não notara até então. E ele reparou que eu o vira. — Demais, não é? Foi feito para mim pela Cartier.

— Acho que estou tendo um colapso nervoso. — Tudo que eu queria era um Valium. Ainda restavam alguns comprimidos da medicação que o doutor me passou quando fui abandonada por Roger. Mas não tinha certeza se devia tomá-los. Mais cinco minutos disso, no entanto, e eu sabia que teria de apelar para eles.

— Querida, olhe pra mim. — Olhei para ele então e percebi que tudo havia terminado. Ele iria ser Peter outra vez e parar de fazer jogos mentais comigo. Estava exausta. A "surpresa" havia fugido ao controle e agora era do tamanho de uma nuvem pairando sobre Hiroshima. — Vou ficar aqui por duas semanas, enquanto ele estiver fora. Vamos simplesmente aproveitar.

— Você está me deixando maluca. — Estava quase chorando àquela altura, e seria necessário mais do que Valium para me recuperar. Naquele momento, minha sanidade, se não a dele, estava em questão.

— Vou fazê-la tão feliz que você não vai nem nem querer o Peter de volta quando ele retornar da Califórnia.

— Eu quero ele de volta *agora*! — gritei, esperando que isso afugentasse o espírito insano que o havia possuído, e que agora estava tentando tirar meu sutiã enquanto colocava seus braços em volta de mim. — Quero que você vá embora.

— Não posso — disse ele com gentileza, lembrando-me instantaneamente do carinho de Peter para comigo, enquanto eu começava a chorar ao baixar minha cabeça contra o seu ombro. Isso era insano. Estava amando um completo lunático. E mesmo esse outro lado dele, completamente louco, era afetuoso.

— Prometi a ele que tomaria conta de você até que voltasse. Não posso ir embora. Ele me mataria.

— Eu é que vou matá-lo se não parar com isso.

— Relaxe. Vamos lá, eu ajudo você a fazer o jantar. Sente-se por um minuto que vou organizar as coisas para você. Tome, tente isso, vai se sentir melhor. — Ele me passou o copo de uísque e colocou o outro avental. Enquanto o observava, ele se mexia pela cozinha com desenvoltura. Eu me sentia como se minha vida tivesse sido tomada por marcianos. Ele acres-

Klone e eu

centou meia dúzia de temperos à sopa que eu colocara no fogão, colocou uma *pizza* congelada no forno e, sem dizer uma só palavra, fez uma salada e um pão de alho. E, dez minutos depois, virou-se para mim e anunciou com um sorriso que o jantar estava pronto.

— Quer que eu chame as crianças? — perguntou voluntarioso. Os soluços já haviam acabado e ele tomou outro gole de uísque.

— O que vou dizer a eles? — perguntei, sentindo-me desesperada e um pouco tonta. Estava bebendo o uísque. Precisava bebê-lo muito mais do que ele. — Você vai continuar com esse jogo durante o jantar?

— Eles vão se acostumar comigo, Steph. Assim como você, prometo. Em duas semanas, nenhum de vocês vai querê-lo de volta. Sou muito mais divertido do que ele. E cozinho melhor... sem mencionar... — Ele tentou pegar no meu sutiã outra vez e me afastei dele apavorada.

— Por favor... pelo amor de Deus, Peter... agora não! — O que eu estava dizendo? Agora não. Agora nunca! Não com esse homem doido. Peter sempre confinara sua paixão ao quarto. Neste novo disfarce, ele parecia não ter qualquer tipo de inibição.

— Vou chamar as crianças. Fique sentada aí! — disse ele docemente e, antes que eu pudesse pará-lo, já havia entrado sala adentro para chamá-los. — Crianças! Jantar! — E, antes que eu pudesse dizer qualquer coisa, Sam correu, parou e, ao vê-lo, deu um sorriso de orelha a orelha.

— Puxa! É assim que você se veste na Califórnia?

— De fato, comprei a calça em Milão no verão passado — disse orgulhoso. — Gostou dela?

Danielle Steel

— É... um pouco... ela é radical! — Achando graça, Sam sorria para ele em aprovação. — Mas aposto que mamãe não gostou. — Ele virou-se para mim para checar minha reação, mas eu estava muito aflita para dizer qualquer coisa. Só concordei e sorri, quando Charlotte entrou na cozinha e assobiou.
— O que aconteceu? Você foi ao Village hoje, Peter? Pensei que estivesse na Califórnia. Está parecendo um astro do *rock*.
— Obrigado, Charlotte. — Ele sorriu para ela enquanto colocava o jantar na mesa. — Sua mãe pensou que você ficaria horrorizada.
— Não, mas aposto que ela ficou. — Ela gargalhou enquanto se sentava na mesa de frente para mim, e eu me sentia como se tivesse perdido o controle da minha vida em questão de instantes. — Uma vez, comprei uma camisa como essa. Mamãe me fez devolvê-la. Disse que eu estava parecendo uma piranha.
— Tomei outro gole de uísque enquanto Peter, ou Paul, ou seja quem pensasse que fosse, partia a *pizza*.
— Eu lhe empresto essa, se sua mãe me deixar — disse ele com ar magnânimo, enquanto as crianças comentavam sobre quão boa estava a sopa. Ele exagerara no tempero, mas pareciam adorá-la. E eu que sempre tive tanto cuidado. Sam detestava pratos condimentados e Charlotte sempre reclamava da minha comida. Mas eles comeram tudo e até repetiram. No meio do jantar eu já estava bêbada.
— O que há de errado, mamãe? Você parece doente — comentou Sam, enquanto brincava com o doido que preparara nosso jantar. O homem limpo, educado e conservador que eu conhecera como Peter. Estava começando a achar que ele havia partido para sempre. Ou teria sido eu.

— Estou apenas cansada... — expliquei vagamente.
— O que está bebendo? — perguntou Sam com interesse.
— Chá — respondi, soando como uma alcoólatra.
— Cheira como uísque — comentou Charlotte enquanto ajudava a lavar a louça. Ela nunca me ajudava nisso, a não ser que eu ameaçasse sua vida. Bastaram uma camisa transparente e uma calça verde fluorescente para arregimentar seus serviços.
— Sua mãe teve um dia difícil — explicou gentilmente Peter, aliás, Paul. — Ela está cansada. Vou pô-la cedo na cama — disse, e eles não deram nem um pio. Charlotte agia como Lizzie Borden toda vez que ele tentava me levar para jantar ou para o cinema, e agora se comportava de forma totalmente serena ao ouvir que ele iria me botar para dormir mais cedo. Minha família inteira havia sido possuída por alienígenas, e Peter com eles. Mas nem mesmo a minha sanidade eu tinha como certa.

As crianças o ajudaram a enxaguar os pratos e encher a máquina de lavar louça. Então voltaram para seu dever de casa, desejando-me melhoras. Nenhum dos dois parecia sequer preocupado com o fato de que Peter devia ter enlouquecido. E o que é pior: pareciam ter gostado da mudança.

— O que pôs na comida deles? LSD? Parecem estar agindo tão loucamente quanto você.

— Eu lhe disse que iriam me adorar. Mais do que gostam dele. As crianças sentem quando alguém se preocupa genuinamente com elas. Elas reagem à realidade — explicou, gentil enquanto ia à geladeira e puxava uma garrafa de champanhe que eu havia guardado para uma ocasião especial. E essa não era a que eu imaginava.

— O que está fazendo? — Ele a abriu antes que eu pudesse pará-lo.

— Colocando um pouco dessa bebida borbulhante para nós antes de irmos para a cama. — Ele sorriu depravadamente.

— Aqui? Agora? — Mais uma vez eu ria com estridência, mas não estava nem sequer perto de ir para a cama com ele, debaixo do mesmo teto de minhas crianças. Deixei isso bem claro anteriormente e achei que Peter havia entendido. — Você não pode ir para a cama comigo aqui, Peter. Sabe disso. Mesmo nessa fantasia. Não vou fazer isso.

— Relaxe. Vou ficar no quarto de hóspedes. Só vamos sentar e conversar um pouco, isso é tudo. Você precisa se soltar, Steph. Está toda tensa. Não é bom para você ficar tão estressada. Peter não iria gostar. Ele me mandou aqui para fazer você feliz, não para deixá-la nervosa. — Mas, de qualquer jeito, ele o havia feito. Nunca me sentira tão nervosa em toda a minha vida, ou tão desorientada. Paul me virara de pernas para o ar.

— Bem, vocês dois são malucos... você e Peter. — Não tinha certeza se foi o uísque ou o fato de ele ser tão convincente, mas estava começando a de fato pensar nele como outra pessoa. — Como é que pode fazer isso comigo? — Ele havia revirado minha vida numa só noite. E mais: meus filhos pareciam não ligar a mínima. Mas o que eles vão dizer para Roger quando o virem? Que mamãe tinha um namorado que agia como um louco e bebia galões de uísque? Eu perderia a custódia deles por causa dessa situação absurda. Mas enquanto pensava nisso e começava a me sentir histérica novamente, ele me deu uma taça de champanhe e me carregou para o quarto antes que eu pudesse pará-lo.

— Você tem algum tipo de óleo?
— Por quê? Está pensando em traçá-lo também? — A essa altura eu já estava bebendo o champanhe. Não estava a fim de desperdiçar um bom champanhe, mas era a única maneira de lidar com o que estava acontecendo.
— Vou fazer uma massagem em você — disse ele com firmeza enquanto trancava a porta.
— Você vai é tirar essas roupas e se transformar em quem é realmente outra vez, é isso que vai fazer, Peter Baker.
— Paul, querida, Paul Klone. E sim, vou tirar minhas roupas. Mas não agora, mais tarde. Não queremos magoar as crianças.

Terminei a taça de champanhe e, antes que eu percebesse, ele já me envolvera como um casulo e eu estava nua e deitada na minha cama, observando-o, enquanto ele revirava o armário do banheiro e encontrava uma certa loção corporal que eu comprara em Paris.

— Isso é perfeito — disse ele alegremente, enquanto voltava e tomava um gole generoso de champanhe direto do gargalo. — Você tem velas?

— Por quê? — perguntei, totalmente apavorada. — O que vai fazer com elas?

— Acendê-las. A luz das velas vai te relaxar. Você vai ver.

— Nada vai me relaxar, de jeito nenhum, se não parar com isso. — O tempo que eu iria passar no Bellevue seria mais relaxante.

— Psiu... quieta... — Ele diminuiu as luzes e, antes que eu soubesse, estava me massageando com a loção corporal francesa. Eu não tencionara sucumbir a isto ou a ele, mas estava tão bom, e eu estava tão envolvida e tinha uma baita dor de cabeça, que de algum modo acabei deixando-o agir. E meia hora mais tarde, quando as crianças entraram, estava me sentindo atordoada e vestia minha camisola, sentada em frente à televisão, exatamente do jeito que estava antes de encontrá-lo.

— Está se sentindo melhor, mamãe? — perguntou Charlotte ao entrar, para depois, envergonhada, perguntar a Peter, ou Paul, se podia ajudá-la no seu dever de casa. Desapareceram por cerca de uma hora e, àquela altura, eu já pusera Sam para dormir e começava a pensar que as coisas estavam voltando ao normal. Peter parecia seu antigo eu, enquanto dissertava sobre álgebra ao lado de Charlotte. E ela de fato parecia civilizada quando agradeceu a ele e voltou para o quarto.

Por volta das dez e meia, as crianças estavam na cama, já adormecidas, e Peter estava sentado em meu quarto, fitando-me com um olhar carinhoso enquanto tirava a camisa.

— Você não pode fazer isso. E se as crianças acordarem? Peter, você realmente não pode dormir aqui. — Eu estava quase às lágrimas enquanto implorava.

— Eu disse às crianças que o meu apartamento estava em obras e que você foi gentil o suficiente para me deixar em seu quarto de hóspedes por duas semanas. Nenhum dos dois pareceu ter qualquer problema em relação a isso e Sam até me pediu para dormir no seu quarto.

— O que está acontecendo conosco? Com você? — Mas, fosse o que fosse, estava funcionando. Foi a primeira vez que tive a sensação de que Charlotte gostava dele. Talvez fosse a fantasia, ou o jantar que preparou, ou o jeito de ele se comportar, mas os conquistara usando as piores roupas que eu já havia visto e comportando-se como um selvagem. Estava até se

Klone e eu

mudando para o meu quarto de hóspedes e ninguém parecia se importar. De fato, eles estavam até satisfeitos.

Ele trancou a porta discretamente e, enquanto tirava sua horripilante calça verde, quase me senti como se o tivesse reconhecido novamente, até ver as meias de lamê dourado que ele estava usando, se é que se podia chamá-las de meias. Pareciam mais com aquelas da Speedo, e o fato de serem douradas era um pouco mais do que assombroso.

— O que é isso? — perguntei, rindo finalmente. Ele havia levado a charada até o enésimo grau e, de certo modo, eu quase tinha que admirá-lo por isso. Era uma maluquice, com certeza, mas talvez fosse engraçado, no fim das contas. Tinha-se que tirar o chapéu para sua criatividade.

— É uma tanga — explicou, no que eu explodi numa gargalhada. Não estava certa se fora a tanga ou o champanhe, mas, de repente, a coisa toda parecia histericamente engraçada.

— Eu não sabia que você tinha a capacidade de fazer esse tipo de coisa — disse, enquanto lágrimas corriam no meu rosto de tanto rir. — Você tem um senso de humor doentio. Sempre achei que era muito conservador. — De um jeito estranho, eu estava gostando daquilo. Fora uma noite insana, mas assim que ele tirou a tanga e a jogou para o alto, sorri para ele e o achei mais irresistível do que nunca.

— Você é incrível...

Ele tirou minha camisola de dormir, acendeu as velas novamente, me serviu mais uma dose de champanhe e provou-me que ele era o homem que eu conhecia e amava, e algo mais. Ele estava mais romântico, mais amoroso, mais sensual do que eu nunca vira, e fez coisas comigo sobre as quais eu só havia lido ou sonhado. Era como se a brincadeira maluca que fez comigo a noite toda tivesse despertado algo selvagem que ele não se permitia externar de outra forma. Mas quando deitamos um nos braços do outro, depois, não fiz nenhuma objeção. Tudo fora melhor do que nunca e agora eu me sentia muito solta.

— Qual era o nome que você disse ser o seu? — provoquei-o, caindo de sono e sorrindo para ele.

— Paul — sussurrou ele enquanto me beijava novamente e o telefone tocava.

— Eu te amo — sussurrei de volta e tirei o fone do gancho, antes que o barulho acordasse as crianças. Era quase uma hora da manhã.

— Que tal minha surpresa? — perguntou uma voz familiar, enquanto eu olhava em volta confusa. Era Peter. Mas não podia ser. Ele estava na cama ao meu lado, descendo o dedo preguiçosamente pela minha espinha enquanto eu escutava. — Ele está se comportando? Não o deixe ficar muito atrevido, Steph... ou vou ficar com ciúmes. — Meus olhos se escancararam enquanto eu escutava sua voz no telefone. Parecia uma história saída do *Além da imaginação*, quando eu virava para ver Peter e me certificar de que ainda estava ali comigo. Mas a voz no telefone era idêntica. Eu sabia disso muito bem, a não ser que fosse alguma gravação mecânica maluca ou muito bem-feita. Mas como isso podia estar acontecendo?

— Quem é? — disse, com um grasnido na voz enquanto fazia a pergunta.

— É Peter. O Klone não está aí com você? — Olhei então para Paul e percebi que tudo era verdade. Peter estava na Califórnia. E Paul Klone estava na minha cama, havia feito amor comigo como ninguém fizera antes, e falou a verdade a noite

Klone e eu

toda quando disse que não era Peter. Mas se não era Peter, quem era ele? O quarto rodopiava enquanto eu o escutava, e olhava para Paul e, incapaz de suportar o baque, fechei meus olhos e desmaiei.

Capítulo Cinco

Na manhã seguinte, quando acordei, percebi que, com total certeza, seres alienígenas haviam tomado conta da minha casa. Podia ouvir Paul no telefone, enquanto abria meus olhos, pedindo cinco quilos de caviar, uma caixa de Louis Roederer Cristalle, e outra de Château d'Yquem. E antes que eu pudesse fazer qualquer comentário, ele já havia pulado da cama e dizia que aquela era uma ótima manhã. Mas eu não estava em condições de discutir isso com ele.

Arrastei-me para fora da cama, com uma terrível ressaca, algo que não sentia há anos. Devia ter sido o champanhe. E enquanto eu estava em pé no chuveiro gemendo baixinho, tentando entender o que havia acontecido, Paul entrou e se ofereceu para ajudar a depilar minhas pernas.

— Não, obrigada, posso fazer isso sozinha. — Ele se sentou de frente para mim num assento do toalete, com um novo copo de champanhe na mão, enquanto eu me perguntava se devia simplesmente esquecer as minhas pernas e, em vez disso, cortar os pulsos.

Eu ainda não podia entender o que havia acontecido. Recordava de ter supostamente falado com Peter na Califórnia na noite anterior, mas ele era muito esperto e entendia bastante de recursos tecnológicos. Provavelmente fizera a gravação antes de viajar, e estava de fato sentado ali, na minha frente, tomando champanhe e fingindo ser outra pessoa. Essa história de clone que ele inventou era um pouco mais do que forçada, mas permitiu que se entregasse a uma série de liberdades muito exóticas, jogos sexuais e um jeito mais incomum de se vestir, sem culpa. Eu me perguntava se esta era a única maneira que ele tinha para se libertar de quaisquer inibições que tivesse, e suspeitava que era. Mas isso realmente me fez questionar que tipo de neuroses ele tinha, dada a necessidade de esconder por trás da premissa de ser outra pessoa. Era um pouco complicado, mas pelo menos fazia sentido na minha cabeça. Na noite anterior, de fato acreditei nele por um instante, mas quando se sentou no meu banheiro, olhando para mim, enrolado apenas numa toalha, era fácil ver que ele era realmente Peter, não importa o nome pelo qual preferia ser chamado, ou quão escandalosa fosse sua fantasia.

— Está se sentindo melhor? — perguntou ele, enquanto eu saía do chuveiro, finalmente rindo. Ele não iria me enganar com seu joguinho. E se esse era o jogo que ele queria jogar comigo, eu poderia jogá-lo tão bem quanto.

— Muito. — Beijei-o e tomei um gole do champanhe. — A noite passada foi divertida — disse, secando meu cabelo, notando como ele era lindo, qualquer que fosse seu nome.

— Sinto muito se você ficou um pouco enlouquecida quando Peter ligou. É um pouco chocante a princípio, entendo, mas tão logo se acostume com a idéia, tudo vai fazer bastante sentido. Como Peter viaja muito, ele não quer que você fique sozinha. Você sabe, levaram três anos para me construir, e mais outro ano e meio para resolver todos os problemas. — Eu não estava tão convencida de que "eles" haviam feito isso. Mas, aparentemente, iríamos brincar de "Stephanie e Paul" hoje, e fingir que Peter ainda estava fora. — O que quer fazer hoje? — perguntou ele amavelmente. — Depois de levarmos as crianças no colégio.

— Você não tem que ir trabalhar? — disse esperançosa.

— Eventualmente. Peter fica um pouco nervoso quando entro no escritório, mas sinto-me um pouco culpado se não aparecer por lá de vez em quando. Mas hoje pensei que deveríamos tirar o dia... e talvez simplesmente ficar na cama. — Ele me deu um sorriso largo e ultrajante, terminou seu champanhe e jogou a taça fora. Mas um simples cristal Baccarat perdido era um preço pequeno a pagar por uma fantasia como aquela.

— Há uma exposição que quero ver no Met... quero dizer, depois... ou seja, se... — Eu não podia acreditar que corava enquanto falava com ele, mas ele sorria enquanto me olhava e se inclinava em minha direção para beijar meu seio. — Peter... não...

— Paul — sussurrou, enquanto eu balançava a cabeça para depois me afastar dele a fim de me vestir. Certamente era um joguinho intrigante. Que quase fazia com que eu me questionasse sobre que outros tipos de coisas ele gostava, chicotes e correntes, algemas, ou roupas ainda menos convencionais do que as que usara na noite anterior. E como se quisesse neutralizar as fantasias eróticas que estava começando a ter com ele, vesti uma suéter cinza, velha e esfarrapada, e o meu *jeans* favorito. Coloquei meus pés desnudos em sapatos tipo mocassim, e entrei sóbria na cozinha para alimentar as crianças. Peter — aliás, Paul — saíra para fazer mais algumas ligações, mas prometera se juntar a nós no café da manhã e ver as crianças antes que fossem para a escola.

Fiz *waffles* e *bacon* para todos, já que tínhamos um "convidado", e Sam havia devorado toda a sua porção antes mesmo de Charlotte sair do quarto. Ela chegou tarde, como sempre, ajeitando a saia "curta demais" que vestia e mexendo no cabelo. Vestia uma gargantilha que parecia um sinal de "pare", mas na qual lia-se SEXY, e meu par de sapatos de salto alto favoritos. Mandei-a de volta para trocá-los pelos Adidas que normalmente calçava para ir ao colégio.

Na hora em que ele retornou, ela estava ainda mais atrasada, pôs para dentro metade de um *waffle*, e me informou que comer *bacon* faz mal à saúde. Balancei a cabeça, peguei os documentos e dei uma rápida olhada no relógio. Não era meu dia de levá-los de carro no colégio, e a mãe que deveria fazê-lo chegava quase sempre atrasada. Ela já o estava, e enquanto balançava minha cabeça em desaprovação e tomava as rédeas, me senti como se uma presença estranha e quase de outro mundo tivesse acabado de se fazer notar no meu quarto. Incapaz de resistir às forças que estavam a minha volta, e sentindo-o antes de vê-lo, olhei para cima. Num instante, meus olhos tiveram uma visão que desafiava qualquer descrição. Dessa vez, Sam ficou atordoado em silêncio, e Charlotte cochichou em reverência.

— Demais.

Definitivamente, era demais. Eu não estava totalmente certa de que "demais" era a palavra correta. "Impetuoso" talvez fosse um termo mais adequado.

O Klone, como ele chamava a si mesmo, estava vestindo uma roupa de pára-quedista de uma peça, cujo tecido era de fibra elástica imitando pele de leopardo, uma camiseta justíssima de um rosa quase elétrico e sapatos da mesma cor. Usava óculos de sol, uma gargantilha grande e dourada e nos dedos tinha pelo menos seis enormes anéis de diamante. E, à medida que o sol brilhava sobre ele, a impressão era a de que seu corpo iria explodir em um milhão de partículas de luz cegante, exatamente como acontece quando se olha para um caleidoscópio sob o efeito de LSD. Ele era, definitivamente, demais.

— Está claro aqui, não é? — disse ele com prazer, enquanto se sentava à mesa com um largo sorriso. Tudo que eu podia fazer era encará-lo. O traje era inacreditável.

— Acho que é só você — disse, enquanto perguntava a mim mesma se os sapatos cáqui e as conservadoras camisas azuis haviam sido apenas uma artimanha. Talvez essa fosse a verdadeira face dele. Se não, era certamente uma piada intrigante. Mas talvez ele só tivesse usado as roupas conservadoras para me atrair. De qualquer maneira, isso era doentio, e eu sabia disso.

— Alguma coisa especial no jornal? — perguntou descontraído, enquanto traçava seus *waffles* e *bacon*, e espalhava quase três centímetros de xarope de bordo por todo o seu prato, fazendo com que Sam o observasse com júbilo e fascinação.

— Você gosta do caderno de moda? — perguntei, enquanto Sam o avisava que todo aquele açúcar iria apodrecer seus dentes.

— Eu odeio dentista — disse ele amavelmente. — Você não?

— Sim — concordou Sam —, muito. Nós vamos a um dentista bem ruinzinho. Ele me faz usar flúor e me dá injeções.

— Então você não devia ir, Sam. A vida é curta demais para você fazer coisas que não gosta. — Sam inclinou a cabeça, em total acordo, enquanto eu largava o jornal lentamente e fitava a ambos.

— A vida é longa demais para passá-la sem dentes. — O comentário de Peter não teve nenhuma graça, assim como o olhar que Charlotte lançou ao perguntar com admiração onde ele havia conseguido a roupa.

— É Versace, Charlie. É a única *griffe* que uso. Você gosta?
— Mais do que a própria vida — respondi por ela, e então, misericordiosamente, o porteiro chamou no interfone. O carro do transporte solidário estava lá embaixo para levá-los. — É hora de ir para a escola! — Mandei-os correndo para fora de casa, fechei a porta e depois me virei para fitá-lo. — O que exatamente você está tentando fazer? Criar uma revolução aqui? Elas são crianças. Não sabem que você está apenas brincando... e Peter... essa roupa... — Eu não sabia como dizê-lo, e não ia ser fácil fazer com que Charlotte usasse algo até remotamente respeitável, se ele continuasse vestindo fantasias como aquela.

— É demais, não é? — Ele sorria de orelha a orelha, enquanto eu sentava e murmurava indefesa, para depois examiná-lo novamente. Mas ele parecia tão doce e tão vulnerável, que de fato aparentava estar magoado com o pensamento de que eu o desaprovava.

— Sim, é demais. — Que droga, ele era brilhante, eu o amava, ele era fantástico na cama e as crianças haviam saído para a escola. Que mal haveria se eu entrasse no jogo dele? Apenas por um dia ou dois. Ele não poderia mantê-lo para sempre. Ninguém poderia. Mais cedo ou mais tarde, ele se cansaria de me provocar, e teria de voltar para seus sapatos cáqui e seus Guccis. Mas, secretamente, sentia falta dos dias em que Charlotte o chamava de otário por ele ser tão conservador. O traje cujo tecido de fibra elástica imitava pele de leopardo era, com certeza, qualquer coisa.

Mas, enquanto olhava em sua direção, ele sorriu de orelha a orelha, maliciosamente, e me puxou para fora da cadeira.

— Vamos lá, Steph... vamos voltar para a cama.

— Tenho um milhão de coisas para fazer hoje, e ainda não acabei de ler o jornal — disse com firmeza, como se isso fosse dissuadi-lo. Desde que Roger partira, eu prometera a mim mesma que usaria maquiagem todo dia e me manteria atualizada com as notícias.

— É tudo a mesma porcaria que acontece todo dia, toda semana — assegurou ele, impassível. — Pessoas se matando umas as outras, pessoas morrendo, sujeitos fazendo *home runs* e *touchdowns*, preços subindo e caindo como ioiôs. Então o quê? Quem se importa?

— Eu — disse rindo para ele. Ele parecia tão ridículo naquele traje, particularmente com o enorme colar de ouro que trazia em seu pescoço. Ele parecia com o Fantasma de um Natal Passado que foi para Hollywood. — E você também, a não ser que todo esse tecido elástico tenha ido para a sua cabeça. Você não pode de repente parar de se importar com o mundo real só porque está me pregando uma peça. Essa roupa é uma coisa... o resto é outra.

— Certamente é — disse ele, ignorando-me por completo, enquanto me colocava em seus braços como se eu fosse uma boneca Barbie, e rumava de volta para meu quarto, onde eu já arrumara cuidadosamente a cama. Ele abriu a porta com uma das mãos, enquanto seus anéis refletiam a luz do sol, e me colocou romanticamente em cima de meus lençóis Pratesi. E, sem hesitar por um momento, começou a se despir. Muito convenientemente, o traje de leopardo tinha um zíper oculto e, em menos de um segundo, ele já o tinha aberto e arriado, bem em cima dos sapatos rosa. E então ficou ali, com sua tanga de leopardo e cetim, sua camiseta rosa e os sapatos da mesma cor. — E agora me fale sobre o mercado de capitais — disse ele, enquanto tirava os sapatos e o colar e se juntava a mim na cama tamanho gigante.

— Pensei que a gente ia no Met — disse eu sem fôlego,

enquanto começava a tirar minhas roupas, mas, ao mesmo tempo em que me beijava, descobri que estava muito dominada para resistir. — Você não acha que devíamos... — sussurrei com voz fraca. Era pleno dia claro, eu era a mãe de duas crianças. O que estava fazendo com um homem vestido numa tanga de cetim de leopardo, fazendo amor com ele enquanto elas estavam na escola? Mas enquanto a tanga desaparecia, como acontece com muitos fios dentais, junto com meu *jeans* e as minhas roupas íntimas rosa, minhas objeções pareciam ter desaparecido no ar.

Ele era extraordinariamente atlético, e bem mais sensual do que havia sido até aquele momento. E então, enquanto eu jazia sufocada lutando com o sofrimento da paixão, ele cochichou no meu ouvido.

— Tem uma coisa que quero mostrar a você — disse ele com voz rouca, claramente tão tomado pelo desejo quanto o que ele me fazia sentir. Eu deveria ter sentido medo dele então, e deveria ter sentido algo errado nele desde o princípio, em Paris, mas era tarde demais para me lembrar de qualquer dessas coisas agora. Ele tomou posse de mim no momento em que me trouxe para perto de seu corpo, que se tornou um só ao lado do meu e, lentamente, me possuía seguidamente. E, no momento seguinte, quando parecia que seríamos lançados no espaço, todo o ar que havia em meus pulmões foi sugado para fora, enquanto dávamos saltos mortais no meio do firmamento, ainda enganchados, fazíamos leves piruetas, e terminávamos habilidosamente, quase de modo gracioso, eu por cima dele, no chão. Eu não podia acreditar que ele fizera aquilo, não tinha a menor idéia de como havia conduzido as coisas daquele jeito, sem machucar a mim ou a ele. Ele estava às gargalhadas e eu sorrindo,

Klone e eu

enquanto explicava sua técnica para mim. — Isso é chamado de duplo salto mortal, Steph... é minha especialidade... Você gostou?

— Adorei. — Eu nem me importava com o fato de, no meio de uma evolução, sua pequena tanga de leopardo perdida ter de algum modo se pendurado na minha orelha esquerda.

— Uma vez consegui dar um triplo... mas não queria machucar você. Penso que deveríamos começar lentamente... até nos aperfeiçoarmos a ponto de dar um triplo... talvez até um quádruplo... isso acrescenta algo muito especial a um lindo momento entre duas pessoas, você não acha?

— Acho. — Ainda estava mais do que um pouco ofegante, e surpresa por não termos nos machucado. Mas ele estava incólume e sereno, enquanto me carregava gentilmente de volta para a cama, para tentarmos de novo. De fato, conseguimos um triplo em algum momento no meio da tarde. Não conseguimos ir à exposição dos Velhos Mestres no Met, mas, àquela altura, eu não estava me importando. Estava morando em algum lugar do Nirvana, suspensa num mundo de sua criação, meu corpo um instrumento que ele tocava como um Stradivarius, ou algo muito delicado e precioso. E, enquanto mergulhávamos juntos na banheira depois, tudo que eu podia fazer era fechar os meus olhos e sonhar. Estava tão prazerosamente exausta, tão saciada e bem amada, que não ouvi o telefone tocar, e quando o fiz, não me importei.

— Steph... querida — murmurou ele, enquanto eu voltava lentamente ao planeta Terra novamente e o olhava. — Você devia atender o telefone. Podem ser as crianças.

— Que crianças?

— As suas.

Eu não poderia me lembrar de seus nomes àquela altura, caso ele me perguntasse, mas sabia que devia atender. Mas ele havia me enfeitiçado de forma tão poderosa, que tudo em que conseguia pensar era nele. Ele, o salto triplo...

— E aí? — Uma voz familiar soou animada e, ao ouvi-la tão enérgica e viva, estremeci. Olhei direto para Peter na banheira ao meu lado, e perguntei a mim mesma como ele fizera aquilo. Se era uma gravação de sua voz, o *timing* era muito bom. Ele estava fazendo o jogo do telefone comigo, mas dessa vez eu sabia que iria pegá-lo em flagrante. Descobri, naquela manhã, que ele o fazia através de uma conversa que, de tão comum, tornaria minhas respostas totalmente previsíveis. E eu nunca perceberia que se tratava de uma gravação, e não de uma pessoa de verdade no telefone, falando comigo.

— Oi, Peter. — Entrei no jogo com um piscar de olhos e um largo sorriso.

— Como vai você, Steph?

— Bem *sexy* — foi minha resposta, em vez de "bem".

— O que isso quer dizer? — perguntou ele. Outra resposta padronizada para qualquer coisa que eu pudesse dizer.

— Estou simplesmente deitada aqui na banheira. Fizemos amor a tarde toda. — Houve um momento de pausa, o que me fez sorrir. Ele, evidentemente, havia deixado um espaço na gravação, o que foi inteligente de sua parte.

— Ele é biônico, Steph. Não é real. Ele foi totalmente feito pelas mãos do homem, sintético da cabeça aos pés, e não acredita em nada do que diz. E, o que quer que ele faça, é estritamente mecânico. — Pela minha experiência, isso fazia dele alguém típico de sua estirpe. Nada anormal nisso, ou no que Peter estava dizendo para mim.

— Só fizemos um salto triplo. — Tente produzir uma resposta padrão para isso. A conversa estava rapidamente indo numa direção oposta a que Peter poderia ter imaginado ao produzir a fita.

— Ele não devia ter feito isso, Steph. Só devia entreter você até eu voltar. Não foi para esse fim que o programamos. Parece que as coisas estão fugindo de controle por aí. — Ele parecia estar preocupado e sorri. Agora era eu quem estava lhe pregando uma peça.

— Eu diria que as coisas estão bem "fora de controle" nesse momento.

— Está me deixando enciumado, Steph. E soa como se pensasse que é real. — Ele não aparentava estar feliz com isso. De fato, ele parecia estar quase triste, o que me enervou.

Tocando partes bem impressionantes de sua anatomia com os pés, delicadamente, debaixo d'água, na banheira, balancei a cabeça com um sorriso malicioso.

— Acredito que ele é real.

— Bem, ele não é. Nós o programamos para realizar essa proeza pequena e ridícula, só por prazer, mas eu lhe disse para não tentá-la. Ele pode machucar alguém. Além disso, nunca poderia esperar que ele fosse fazer isso com você. — Essa não era a resposta padronizada que eu esperava e, ouvindo Peter na outra ponta da linha, franzi o cenho.

— O que foi que acabou de dizer? — perguntei, sentindo-me subitamente nervosa e olhando para Paul na banheira comigo, enquanto ele fechava os olhos inocentemente e dava a impressão de estar caindo de sono. Talvez ele fosse um ventríloquo ou, quem sabe, um psicótico. Um psicopata, na pior das hipóteses. Mas como isso podia estar acontecendo? Eu não parecia estar falando com uma gravação, parecia uma voz muito mais real e preocupada.

— Eu disse que ele não devia fazer nada disso. Pensei que ele só ia ficar aí com você e as crianças e distraí-la. Além do mais, falei para ele não tentar o salto duplo, ou o triplo, nem com você e nem com ninguém, durante essa minha viagem. O lunático até falou que queria tentar um quádruplo, durante os testes. Steph, se ele der a entender que vai tentar fazer isso, saia da cama imediatamente ou ele vai machucar você. Saber que ele está funcionando plenamente não me deixa feliz. Ele só devia funcionar parcialmente com você.

Não havia nada "parcial" no que estávamos fazendo, e me senti súbita e imensamente culpada. E, o que é pior, parecia que era realmente Peter quem estava no telefone e não uma gravação, afinal de contas.

— Peter? É você? — E então, por puro reflexo, cutuquei Paul nervosamente com o pé, e ele acordou e começou a falar comigo ao mesmo tempo. Isso não era nenhum truque. A não ser que estivesse me alimentando com cogumelos mágicos, e eu tivesse alucinações a tarde inteira.

— É claro que sou eu — disse ele, soando um pouco tenso. — Olhe, Steph, estou satisfeito por você estar feliz. Eu queria que se divertisse com ele. Mas não tanto quanto acha que está se divertindo. No fim das contas, ele não é real. Pense nele simplesmente como um brinquedo gigante, um tipo de boneco crescido e falante para manter você entretida enquanto estou fora. — Ele estava tentando ser sensato e justo em relação à situação. Afinal de contas, ele havia lançado Paul no meu caminho.

— Peter — eu estava começando a me sentir doente novamente, e minha cabeça começava a ter vertigens. — Não entendo isso. Não sei o que aconteceu... Pensei que era uma brincadeira... que ele era você.

Klone e eu

— Ele é. Fui clonado. De fato, ele é um híbrido de vários tipos, um clone com elementos biônicos misturados. É algo muito novo que eu queria dividir com você. Ele é quase perfeito, a não ser por alguns pequenos problemas. Veja bem, aproveite ele. Leve-o a festas. Deixe-o brincar com as crianças. — Será que ele estava brincando? Será que tudo isso era possível? Como é que ele podia fazer isso comigo? Será que era maluco? Ou pior, será que eu estava ficando doida? Se ainda não estava, sabia que em breve ficaria. Paul seria um clone "com elementos biônicos misturados"? Talvez todas essas coisas fossem sonhos derivados de um ferimento maior na cabeça que resultou do salto duplo mortal. Tudo começava a fazer sentido para mim dessa maneira.

— E quanto a mim? Como é que você pode fazer isso comigo? Eu não o amo, amo você.

— Eu também te amo. E não se espera que você deva amá-lo. Ele só tem a obrigação de lhe fazer companhia enquanto estou longe. Mas não tanto quanto parece estar fazendo. Onde é que você vai mandá-lo dormir agora? — Com tudo que eu dissera, era óbvio o lugar onde ele havia dormido até então.

— No quarto de hóspedes. Ele dormiu lá na noite passada, depois... — Não pude terminar a frase, por já ter descrito nossas proezas sexuais, pensando que a voz no telefone não era real. Havia sido seduzida, enganada, dentro de uma situação obscena, e tudo que queria agora era desaparecer para sempre no esquecimento.

— Bom. Mantenha-o no quarto de hóspedes. E fique longe daquele maldito duplo salto mortal. — Cristo, agora ele se mostrava ciumento. Com um corpo como o dele, e o de Paul, o que ele podia esperar? Madre Teresa não resistiria a ele e, enquanto escutava Peter, Paul se chegou, me tocou e me vi ansiosa para tentar o proibido salto quádruplo. — Vou estar em casa em duas semanas. — De repente, isso soou como se fosse um pouco cedo demais. Em que tipo de coisa eu havia me metido, e quem eram essas pessoas? Clones... seres biônicos... a todo vapor... saltos duplos mortais? Eu estava presa num pesadelo *high tech*.

— Vou estar aqui, querido — disse com a voz pastosa. E depois o quê? Será que Paul iria desaparecer? — Como vai o trabalho? — Era a única coisa na qual eu podia pensar em dizer, além de perguntar sobre o tempo na Califórnia.

— Bom. Onde está ele, por falar nisso? — Peter ainda parecia um pouco preocupado, mas tudo fora fruto de sua própria falha. Klone, de fato.

— Ele está aqui — falei vagamente, enquanto Paul ensaboava minhas costas fazendo bolhas e levava o sabonete eroticamente na direção ao meu peito.

— E as crianças?

— No colégio. Elas logo vão chegar em casa. — Infelizmente. Havia pouco tempo para tentar outro salto triplo. Não me importei com o que Peter disse. Não podia desistir de Paul agora, mesmo sendo ele biônico.

— Ligo mais tarde — prometeu ele. — Eu te amo, Steph.

— Eu também te amo. — E tem mais: eu queria deixar isso claro. O Klone era divertido, mas eu só lhe dera rédeas porque pensei que fosse Peter... de fato, eu tivera bastante certeza. E agora tinha de encarar o que estava sentindo, e o que eu fizera com ele, biônico ou não. Peter disse que ele era um brinquedo... mas que brinquedo! Nunca em minha vida tive um brinquedo como ele.

— Como ele estava? — perguntou Paul quando desliguei. Eu o fitava confusa enquanto ele olhava para mim deitado na banheira.

Klone e eu

— Estava bem — respondi vagamente, pensando em tudo que ele dissera, sem ter idéia de como ficar em paz comigo mesma, ou com a situação na qual estava envolvida. — Ele ligou para dizer oi. — De fato, ele não havia feito isso, mas o que eu podia dizer? As coisas pairavam pela minha mente e eu sabia disso.

— Ele detesta aquele salto duplo. Acho que se sente incomodado porque não consegue fazê-lo. Ele sempre teme que eu vá romper alguns fios ou queimar meus fuzíveis, especialmente no salto triplo.

— Acho que você queimou os meus. — Ri, ainda com dificuldade em acreditar que tudo aquilo era verdade. Mas não havia como esconder agora. Eu sabia que era, a conversa com Peter havia me convencido, especialmente o fato de que ele estava com ciúme. — Ele falou que você não tinha que estar funcionando a pleno vapor — eu disse, repreendendo-o gentilmente, agindo como se estivesse ralhando com Sam por causa de seu dever de casa ou do cachorro.

— Esqueci — disse Paul, rindo largamente. — O champanhe faz isso comigo. — Sabíamos o que ele havia feito comigo, certamente. E ele aparentava não estar com qualquer remorso em relação a isso. — É melhor nos vestirmos antes que as crianças voltem da escola — disse ele responsavelmente, como se para atenuar os pecados que havíamos cometido. — Elas realmente são ótimas crianças.

— Peter gosta delas também — repliquei abatida, fitando-o novamente. Ele era a cópia perfeita, e uma imitação tão primorosa que ninguém jamais suspeitaria que não fosse real. — Como é que é? — perguntei, incapaz de resistir à pergunta. Mas, tal como Peter, ele era brilhante e incisivo.

— Ser um Klone? Eu gosto, me dá bastante liberdade. Ele

sempre me deixa fazer o que quero, tenho um monte de tempo livre quando ele está por perto e um bocado de diversão quando está longe. — Sem mencionar um bocado de sexo, sempre quando ele quer.
— Você já havia feito... hã... isto por ele anteriormente? Quero dizer, algo assim? — Eu perguntava a mim mesma com quantas namoradas de Peter ele já havia dormido, quantas tardes como essa ele já teve, quando ele funcionou a "toda carga" em vez de ser "parcial".
— Não — disse ele, encarando-me com um ar honesto e parecendo magoado. — Nunca. Essa é a primeira vez que visito uma mulher. Mas eles andaram fazendo um monte de reparos e correções em mim recentemente. Até agora, ele só havia me usado nos negócios e com uns poucos amigos. Assim como você, eles pensaram que tudo era uma grande brincadeira. Todos me adoram em seu escritório, mas ele fica nervoso quando chego lá. Fiz algumas tarefas bem superficiais para ele no ano passado. Mas esta é a primeira vez em que ele me confia algo tão importante.
Havia lágrimas em seus olhos enquanto falava, e nos meus também. Como isso havia acontecido comigo? Só Deus sabia. Havia sido um romance tão normal e inocente até Paul adentrar minha porta. Eu não sabia o que fazer. Paul me envolvera de uma maneira muito incrível em poucas horas, mas era por Peter que eu estava apaixonada. Disso eu ainda tinha certeza.
— Essa é a primeira vez na qual algo assim acontece comigo, Paul. — Uma frase feita, na melhor das hipóteses. — Não sei o que pensar ou o que fazer. — Eu não podia me conter. Comecei a chorar e ele me segurou em seus braços, afagando carinhosamente meu cabelo. Havia algo tão afetuoso nele, mesmo sendo biônico.

Klone e eu

— Tudo bem, Steph... isso é novo para mim também. Vamos lidar com essa situação juntos... tudo vai dar certo, prometo... ele viaja muito. — O que ele disse transformou minhas lágrimas em soluços. O que eu iria fazer? Era como se estivesse me envolvendo com dois homens, um que eu conhecia e amava, ou pensava que amava, e outro totalmente ultrajante, inacreditavelmente *sexy*... mas aí Peter também o era. Disputavam um jogo cruel comigo, que fazia Roger parecer um colegial. Toda essa coisa *high tech* era simplesmente demais para se lidar, ou até imaginar. Como isso era possível? Eu estava amando um cientista louco e dormindo com um clone biônico. Quem me acreditaria se eu contasse isso para alguém? Era como aquelas histórias de gente normal seqüestrada por OVNIs. Eu havia desenvolvido um novo respeito por elas, enquanto olhava para Paul.

"Eu te amo, Steph — disse Paul gentilmente, enquanto eu continuava a chorar em seus braços, dominada pela situação na qual me envolvera. — Pelo menos, acho. Você faz com que os meus fios doam. Talvez o amor seja isso.

— Onde? — Fiquei subitamente intrigada pelo que ouvira, e queria saber mais sobre ele.

— Bem aqui. — Ele apontou para a nuca. — É aqui que fica a maior parte dos fios.

— Talvez os tenha danificado com o salto triplo.

— Não creio. Faço isso muito bem. Na verdade, acho que é amor.

— É, eu também.

— Vamos lá, vista-se — disse ele com um olhar de quem havia feito uma travessura. — Por que não saímos para jantar com as crianças?

Eu não podia deixar de sorrir para ele. Era uma pessoa tão

doce, e era óbvio que gostava das crianças. Ele quase se parecia com uma delas, exceto que, graças a Deus, não se vestiam como ele.

Vesti então meu *jeans*, uma suéter preta e um novo par de mocassins de camurça pretos. E, dez minutos antes do horário previsto para a chegada das crianças, Paul saiu do seu quarto. Podia-se dizer que tivera muitos problemas para se vestir, e o resultado alcançado era impressionante: um visual totalmente diferente. Uma calça para equitação preta, e de couro legítimo, combinada com uma jaqueta vermelha feita do mesmo material, um chapéu de *cowboy*, uma camisa de lamê prateada e botas prateadas de couro de jacaré.

— É muita roupa para o jantar? — perguntou, parecendo preocupado. Obviamente, ele se preocupava mesmo com seu visual.

— Talvez um pouco, se formos sair apenas para comer hambúrgueres ou *pizza*. — Eu detestava a idéia de lhe dizer que ele parecia um hidrante, mas então vi um lampejo iluminar seus olhos.

— Por que não levamos as crianças no "21?" Eles os conhecem lá. Vamos ter um serviço de primeira e Sam iria adorar as miniaturas de aviões que tem lá. — Por mais que o amasse e estivesse impressionada com os saltos duplo e triplo, eu não podia me imaginar entrando no "21" com ele vestido daquela maneira. Mas sabia que, se fizesse algum comentário, ele ficaria arrasado e profundamente magoado.

— Talvez eu deva simplesmente fazer o jantar aqui — disse, na esportiva.

— Steph — ele me olhava com olhos cheios de amor para dar —, quero levar você para sair e celebrar. — Celebrar o quê? O fato de que eu estava dormindo com dois homens diferentes mas que eram o mesmo... ou será que eram? Algo nele simplesmente tocou meu coração, não importa quão agoniada eu me sentisse acerca de minha própria situação. Isso não era de fato culpa dele, mas sim de Peter. Mas eu não estava zangada com nenhum dos dois. De certa forma, eu era uma vítima da genialidade de Peter e da louca experiência que ele realizara. Mas sentia que não havia qualquer malícia verdadeira por trás disso. O pobre Peter até ficou chateado com o fato de Paul estar funcionando a pleno vapor e de eu estar dormindo com ele. Todos obtivemos mais do que regateamos com isso.

— Realmente não devíamos levar as crianças para sair durante a semana — disse eu gentilmente, na esperança de que iria desencorajá-lo a nos levar ao "21" e criar uma situação incômoda.

— Agora você soa como ele. — Por um instante ele pareceu incomodado e, dois minutos depois, as crianças chegaram. Sam ofegou ao ver a camisa de lamê prateada, e Charlotte estava visivelmente impressionada com as calças para equitação preta e de couro legítimo e as botas de prata.

E então Paul lhes disse que queria levá-los para jantar no "21". As crianças ficaram impressionadas e sua reação me fascinou. Charlotte o considerou um otário por usar sapatos Gucci de couro preto ao vê-lo pela primeira vez. Agora, vestindo couro preto e vermelho legítimo e parecendo um letreiro de néon, ela o achava legal. E passou a achar mais ainda quando ele a deixou experimentar todos os seus anéis. E se eu usasse uma saia que estivesse um centrímetro mais curta ou, Deus me perdoe, um chapéu de pele de animal no inverno para que meus ouvidos não congelassem, ela me acharia tão desconcertante que não andaria na mesma rua que eu. Como alguém pode explicar a perversidade de uma adolescente de treze anos, ou até começar a entender o que é considerado aceitável para elas? Certamente, Paul sabia e eu não. Ele era um deles. E eu não era.

E apesar de todos os meus protestos, Paul convenceu as crianças de que devíamos sair e, às sete e meia, estávamos o numa limusine, a caminho do "21", enquanto as crianças se serviam de Coca-Cola no banco de trás. Ele ainda vestia o traje de montaria feito de couro legítimo e carregava um casaco de peles no caso de temperatura baixar. E eu usava um pequeno vestido preto e um colar de pérolas. Ele tentou fazer com que eu usasse algo menos conservador. Chegou até a abrir o meu guarda-roupa e tentar escolher algo para mim, mas ficou desapontado com o que encontrou. E sugeriu que eu jogasse tudo fora e começasse tudo de novo. Com o cartão American Express de Peter.

— Temos que fazer compras para você na semana que vem. Steph, meu doce, eu te amo, mas o seu guarda-roupa é um pouco sem brilho. — Como acontecia com minhas camisolas de flanela em dias passados, eu podia subitamente ver todo o meu guarda-roupa terminando no lixo ou, na melhor das hipóteses, sendo doado para as menos favorecidas. Talvez Peter voltasse da Califórnia para me encontrar vestindo roupas feitas de tecido elástico de leopardo, assim como Paul. Era algo para se pensar enquanto seguíamos para o centro da cidade. A limusine que ele havia alugado era branca e do tamanho de três quarteirões, a única que eu já vira com uma banheira térmica na traseira, no lugar da mala. Sam vibrou no momento em que pôs os olhos nela. E quando sussurrei dizendo que aquilo podia ter sido um certo exagero, Paul me garantiu que havia colocado tudo na conta "dele". Tinha certeza de que Peter ficaria impressionado. Mas foi para isso que ele nos tinha mandado Paul, se não para o salto triplo. Essa tarefa tinha o objetivo de nos entreter, e até então ele estava fazendo um bom trabalho.

O serviço no "21" foi excelente, como sempre, e a comida estava fantástica. E, sem hesitar por um instante, quando Sam chamou a atenção para os pequenos aeroplanos pendurados no topo do bar, Paul subiu num banco e pegou três deles para meu filho. E, quando o *maître* se aproximou no instante seguinte, Paul simplesmente lhe disse para colocá-los na conta. Na saída, ele comprou uma bela pochete para Charlotte e para mim um roupão de banho com um "21" bordado. Todos nos divertimos um bocado, diversas pessoas pararam na nossa mesa para dar um alô, e Paul foi adorável com elas. Ele combinou almoços com dois sujeitos para aquela semana. Os três concordaram em se encontrar no University Club, já que Peter era sócio. Eu tinha certeza de que o número do tecido de leopardo ou até das calças para equitação de couro legítimo fariam um grande sucesso.

Todo mundo estava de alto astral quando voltamos para casa, e eu punha Sam na cama quando Peter ligou. Felizmente, atendi a ligação antes de Charlotte, ou ela ficaria desesperadamente confusa. Eu já não ficava mais. Começava a me acostumar com a situação e, embora sentisse falta de Peter, estávamos todos loucos por Paul. E eu sabia o que me aguardava. Outra noite de êxtase em seus braços e talvez, com sorte, outro salto triplo, embora eu soubesse bem que não devia falar com Peter a respeito. Ele me colocara nesta situação e agora eu tinha que lidar com ela. No que se referia a esse aspecto, isso não era mais um problema.

— Alô, querida, onde é que você esteve? — perguntou ele carinhosamente.

— Acabamos de voltar do "21" — expliquei. — Todos nos divertimos um bocado.

— Vocês três? — perguntou ele cautelosamente.
— Não, quatro. Fomos com Paul. Ele queria nos levar para sair, e realmente mimou as crianças. Deu três dos aviões que ficam pendurados no bar para Sam e comprou o que via pela frente para mim e para Charlotte.
— E botou tudo na minha conta? — a voz da Califórnia parecia um pouco pastosa.
— Ele disse que você o pediu para fazer isso. Não estava tudo certo? A limusine também.
— Limusine? Que limusine? — Peter soava confuso do outro lado da linha.
— Tinha uma banheira térmica na parte traseira. Sam a achou "demais".
— Estou vendo. — Houve uma pausa enquanto Peter assimilava aquilo, e eu começava a ver todas as vantagens que o Klone oferecia a todos nós, até para as crianças. Psicologicamente, era duro se ajustar à situação, mas, uma vez que você se acostumava com ela, podia-se ver que tudo era um grande arranjo. E, por Peter, eu estava fazendo o melhor possível para me adaptar. Possuir um Klone trazia muitas vantagens para todos, especialmente para mim. Eu tinha alguém para fazer as coisas comigo, para sair com as crianças e comigo, alguém para conversar e coçar meus ombros... e, evidentemente, havia como prêmio o salto triplo. De várias maneiras, me sentia muito privilegiada. Não estava mais lidando sozinha com todos os aspectos da vida. Ele era uma companhia bem-humorada na ausência de Peter, apesar de um pouco esquisito. Embora, desde que eu admitira a ele que realizava proezas sexuais com Paul, Peter parecesse estar com um pé atrás no que dizia respeito ao projeto.

"Sabe, Steph, não tenho certeza se você deve se expor publicamente ao lado dele. Um jantar tranqüilo aqui e acolá em pequenos restaurantes franceses no West Side, uma noite com alguns amigos. Mas o "21" é um pouco demais. Ele é um pouco chamativo, você não acha? Ou será que ele estava vestindo um dos meus ternos?

— Pode ser — ri —, se é que você possui um com uma calça preta de couro legítimo e uma jaqueta vermelha feita do mesmo material para combinar, e uma blusa de lamê prateado.

— Deixe-me adivinhar. Versace, correto?

— Acho que sim. Ele foi um anfitrião perfeito. Marcou almoços no University Club com alguns de seus amigos para essa semana. Eles pararam na mesa para dizer oi, e ele achou que seria gentil para com você se os levasse para almoçar.

— Oh, pelo amor de Deus, Steph. Diga a ele para cancelar tudo imediatamente, e se afastar dos meus clubes. Eu o mandei aí para ficar com você, não para fazer loucuras por toda a cidade. Vou ter que mandá-lo de volta para ser desligado novamente se ele não tomar cuidado. — Peter parecia um pouco irritado e tenso, o que não era normal, mas era compreensível. Havia sido um grande dia para todos nós, cheio de descobertas incomuns e revelações inesperadas.

— Como está tudo por aí? — perguntei animadamente, na esperança de acalmá-lo, enquanto Paul adentrava a cozinha, onde eu estava ao telefone, e abriu outra garrafa de champanhe. Ele já havia tomado duas delas no "21", mas insistia que sua fiação estava tão boa que isso não iria afetá-lo, embora já houvesse admitido que a bebida prejudicara sua memória na noite anterior. Mas disse que estava apto a beber a noite toda e não sentir nada. De fato, ele parecia preferir o álcool à comida. O que, evidentemente, era, um defeito temporário em seu sistema.

— Está bem — disse Peter. — Mal posso esperar para voltar para casa. Sinto falta de você. — E ele parecia querer dizer exatamente isso. De fato, parecia solitário.

— Também sinto falta de você — garanti-lhe, enquanto tomava um gole do champanhe de Paul. — Mal posso esperar o seu retorno. — Mas me arrependi assim que botei as palavras para fora, pois Paul pareceu ter ficado magoado. E, com um olhar de desculpa, dei-lhe um beijinho. Mas ele saiu da cozinha assim que o fiz. Suspeitei que tivesse ficado com ciúmes, mas não havia muito que eu pudesse fazer.

— Não vai demorar muito — prometeu Peter. — Apenas certifique-se de que Paul vai se comportar. Quero ter uma vida para retomar quando eu voltar... e você.

— Você terá — prometi. Ele era, no fim das contas, o motivo pelo qual tudo isso havia acontecido. Mas era por Peter que eu estava apaixonada. Pelo menos eu tinha certeza disso.

— Vou ligar amanhã à noite. — A essa altura ele parecia mais relaxado.

Senti mais falta dele do que nunca quando desliguei o telefone, mas Paul me acusou novamente de ser piegas e me lembrou que era por esse motivo que ele estava aqui.

— Para manter o seu astral lá em cima, Steph — disse ele amavelmente, enquanto eu me juntava a ele em meu quarto. As crianças haviam ido para a cama, e agora era o nosso momento. Paul pôs um samba tipicamente *sexy* para tocar, e acendeu velas nos dois lados da cama. — Esqueça ele.

— Não posso fazer isso — expliquei. — Você não pode simplesmente esquecer alguém que você ama, as coisas não funcionam dessa maneira. — Mas isso era algo sobre o qual ele pouco ou nada sabia. Ele tinha fios em vez de um coração, mecanismos produzidos pelo homem e *chips* de computador no lugar onde deveria haver um cérebro. Como Peter me lem-

Klone e eu

brou, ele era inteiramente manufaturado e construído por mãos humanas. Era um feito extraordinário da engenharia, assim como o salto duplo, que ele deu repetidas vezes, até tarde da noite. E Peter parecia tão longínquo e irreal como se tivesse estado em outro planeta. Eu queria mantê-lo em minha mente, acreditar em sua realidade, saber que ele estava voltando, e lembrar de como eu o adorava. Mas enquanto Paul me amava diversas vezes noite adentro, de forma brilhante, descobri que Peter vestido com calças cáqui e camisas *oxford* estava se tornando uma lembrança obscura numa velocidade maior do que eu poderia imaginar; apenas o Klone parecia real agora.

Capítulo Seis

As primeiras duas semanas que passei com Paul Klone foram as mais extraordinárias da minha vida e, de certo modo, é quase impossível de se explicar. Eu nunca me divertira tanto com qualquer homem, gargalhado tanto ou sido tão feliz, nem mesmo com Peter. Falava regularmente com ele na Califórnia, mas sua voz estava começando a soar distante. Toda vez que perguntava o que estávamos fazendo, e eu o dizia, ele ficava magoado. Àquela altura, era difícil acreditar que ter mandado o Klone para mim houvesse sido idéia dele. Ele ficava constantemente aborrecido por sua causa, embora eu nunca mais lhe tivesse mencionado nossas proezas sexuais. Mas, apesar de minha discrição, acho que ele conhecia Paul muito bem e suspeitava do que estávamos fazendo, embora não mais me perguntasse diretamente.

Paul me levava para jantar quase toda noite no "21", no Côte Basque, no La Grenouille, no Lutèce. E depois que conseguiu de fato realizar o salto quádruplo, comprou-me um incrível bracelete de esmeraldas e diamantes. Ele o comprou no Harry Winston, com um anel para combinar, e um colar de esmeraldas na Bulgari dois dias depois, "só porque me amava".

— Como é que você sabe? — provoquei-o, enquanto ele colocava o colar em mim. — Que me ama, quero dizer.

— Sei porque meu pescoço dói. — Era um sinal óbvio nele. As outras coisas que sentia deviam-se a excesso de carga nos fios, ou por problemas em seu mecanismo que ele prometia seriam reparados assim que voltasse para a oficina, uma vez que Peter voltasse. Mas este era um momento no qual nenhum de nós admitia pensar. Vivíamos cada dia ao máximo e tentávamos nos convencer de que ele duraria para sempre. Nunca falávamos sobre Peter.

Paul almoçava com freqüência no clube de Peter, quando não passávamos o dia na cama e eu tinha incumbências ou que comparecer a compromissos. Era difícil ter um caso com ele e manter o resto da minha vida em ordem. E, sem qualquer sentido de mera obrigação, ele ia de vez em quando ao escritório de Peter para se certificar de que tudo corria bem por lá. Ele adorava fazer isso. Eu não o questionava sobre o motivo, embora suspeitasse que isso o fizesse se sentir importante. As pessoas se curvavam, cheias de mesuras, e o proviam, assim como faziam com Peter quando ele ia lá. Era algo muito estonteante para um simples Klone. Ele adorava presidir suas reuniões e tomar decisões corporativas ao acaso. Era um trabalho duro, de acordo com o que ele mencionava mais do que uma vez, mas ele sentia que devia isso a Peter; fazer uma aparição ou outra no lugar dele. Afinal de contas, foi por isso que Peter o construiu inicialmente, embora Paul me tivesse admitido timidamente que seus sistemas para lidar com negócios ainda não estavam completos. Mas dizia que voltar para casa e me encontrar, depois de um dia difícil no escritório, fazia-o se sentir quase humano. Ele adorava ficar comigo e eu com ele.

Surpreendentemente, as crianças se ajustaram a ele de forma notável, e pareciam de súbito não ter qualquer problema com

Klone e eu

a idéia de que ele estava dormindo em nosso quarto de hóspedes. Depois da antiga vigilância de Charlotte acerca do nosso "fazer aquilo," ela agora não mais parecia se importar e nem fazia mais perguntas, talvez porque sabia qual seria a resposta e não quisesse ouvi-la. Eu continuava assegurando a eles que dormíamos separadamente, embora não tivesse certeza nem mesmo de que Sam acreditasse nisso, mas nenhum dos dois fazia qualquer objeção. E eu forçava Paul a voltar toda noite para o quarto de hóspedes depois de nossas longas maratonas de paixão. Normalmente eram quatro ou cinco horas da manhã antes de ele chegar lá, e restavam meras duas ou três horas até o café da manhã. Eu não dormia muito enquanto ele ficava por lá, mas era um sacrifício que eu estava mais do que disposta a fazer, considerando as recompensas.

E foi numa de suas viagens de volta para o que agora chamávamos de "seu quarto" que Paul esbarrou com Sam às cinco horas da manhã. Eu não notara que, ao sair, não estava usando a agora familiar cueca fio-dental, mas optara por fazer o breve trajeto até o quarto de hóspedes nu. Se tivesse visto a cena, eu teria o repreendido duramente, caso desse de cara com Charlotte. Mas, naquela hora, ele tinha plena certeza de que ambos estavam dormindo. E cobrir seu corpo nem sempre era algo no qual pensava. Já que todas as suas partes eram intercambiáveis, e parecesse trocá-las regularmente, ele sentia por elas um pudor intensamente menor do que poderíamos sentir. Tive de lembrar a ele, de uma vez, para vestir roupas no café da manhã, enquanto se preparava para sair do quarto com nada mais do que seu fio-dental. Ele parecia ver sua coleção de Versace mais como arte do que como uma obrigação de ser decente.

De qualquer maneira, ele esbarrou com Sam às cinco da

manhã no corredor que leva à sala. Aparentemente, Sam tivera um pesadelo e estava indo ao meu encontro, mas em vez disso deu de cara com Paul, perambulando alegremente em direção ao quarto de hóspedes. Ouvi vozes vindas do meio da bruma na qual ele havia me deixado, e olhei pela fechadura para ver meu filho olhando para Paul, que estava em pé ali, rindo em sua direção, e pelado.

— Que tal uma partida de Monopólio? — ofereceu-se Paul corajosamente, enquanto Sam o contemplava, assombrado. Eles jogaram por horas, para grande felicidade de Sam. O resto de nós detestava o jogo, e Sam se sentiu tão aliviado em encontrar alguém para jogar com ele, que nem parecia se importar com o fato de que Paul roubava toda vez que disputavam uma partida. Sam o derrotou de qualquer jeito, mas, desta vez, ele apenas gargalhou ante a oportunidade.

— Mamãe vai ficar realmente danada com a gente... eu tenho colégio amanhã.

— Oh... O que é que você vai fazer até lá?

— Tem um hipopótamo debaixo da minha cama — explicou Sam com um bocejo. — Ele me acordou.

— É. Isso acontece comigo de vez em quando. Você tem que deixar sal e metade de uma banana debaixo dela. Eles detestam sal e bananas os assustam. — Ele dizia isso com total autoridade, enquanto eu me perguntava se devia deixá-los a sós ou entrar na conversa. Mas eu não queria que Sam soubesse que eu estava acordada ou que havíamos estado juntos.

— Verdade? — Sam parecia impressionado. Ele vinha tendo o sonho do hipopótamo há anos. O pediatra dissera que ele havia superado. — Mamãe diz que isso acontece porque eu bebo muito refrigerante antes de ir para a cama.

— Eu não acho... — disse Paul ponderadamente, para de-

Klone e eu

pois fitá-lo com ar de preocupação. Por um minuto, temi que fosse lhe oferecer um copo de uísque, mas até então não havia feito nada semelhante, embora bebesse o suficiente para fazer emergir o *Titanic*. — Você está com fome? — ofereceu em contrapartida, enquanto Sam ponderava sobre a oferta para depois balançar a cabeça. — Eu também. Que tal um sanduíche de salame, com picles e manteiga de amendoim? — Era uma invenção que ambos haviam desenvolvido juntos, e os olhos de Sam brilharam com a sugestão. E, com isso, Paul o abraçou e rumou para a cozinha.

— É melhor vestir algumas roupas — sugeriu Sam prestimosamente. — Minha mãe pode acordar para ver o que estamos fazendo e ela irá se assustar ao ver você desse jeito. Ela não gosta de ver ninguém andando por aí pelado, nem mesmo meu pai quando morava aqui.

— Tudo bem — disse Paul, antes de desaparecer em direção ao seu quarto por um instante, só para surgir num roupão de banho feito de cetim de brinco-de-princesa com fitas púrpura e pompons amarelos, que até Gianni Versace iria se esquivar de assumir a autoria.

E, com isso, eu os vi dobrar a quina da sala para desaparecer na direção da cozinha. Deixei-os sozinhos, satisfeita por saber que eles iriam repartir um momento íntimo motivados pelo sanduíche que criaram. De certa maneira, era bom para Sam ter um homem com quem conversar, mesmo sendo biônico. Fiquei certa de que nada de impróprio iria acontecer e voltei à cama para aproveitar o pouco sono que ainda me restava antes de ir fazer os *waffles* favoritos de Paul para o café da manhã. E, um pouco mais tarde, perguntei inocentemente sobre as cascas de salame na lixeira e a lata aberta de manteiga de amendoim no balcão.

— Alguém ficou com fome esta noite? — perguntei, enquanto colocava um prato de *bacon* entre Paul e Sam. Como de hábito, Charlotte ainda estava se vestindo.

— Sim, nós — confessou facilmente Sam. — O hipopótamo voltou a ficar embaixo da minha cama e Peter fez um sanduíche pra mim. Ele me disse para deixar metade de uma banana debaixo da cama, que o hipopótamo ia ficar com medo e nunca mais ia voltar. — Sam parecia ter seu medo sob controle pela primeira vez, pelo que posso me lembrar.

— E sal... não se esqueça do sal — lembrou Paul. — É do sal que eles realmente têm medo. — Sam acenou atenciosamente que concordava, e depois sorriu para ele por um longo tempo enquanto eu os observava.

— Obrigado, Peter — disse ele delicadamente. Paul não havia falado a ele sobre quão tolo era. Em vez disso, e por mais absurdas que fossem, ofereceu ferramentas para Sam lutar contra o seu medo. E poderia funcionar se Sam acreditasse nelas, o que aparentemente ocorreu.

— Funciona, você vai ver — garantiu novamente Paul, que depois começou a comer seus *waffles*, explicando por que eram melhores do que panquecas. Porque os pequenos quadrados estavam cheios de vitaminas, embora você não pudesse vê-las, e todas as vitaminas caíam para fora das panquecas quando você as virava. Ouvindo-o, quase acreditei nele e, mesmo cansada como estava, adorei o som da gargalhada de Sam.

Paul era demais com as crianças, era mesmo uma delas, e sua paciência parecia interminável. Ele as levou para sair no fim de semana, brincou com elas incansavelmente, levou-as para o cinema, e foi jogar boliche com Sam. Foi até mesmo fazer compras com Charlotte, o que era deveras preocupante, e a empreitada resultou na compra de uma minissaia de couro legítimo que jurei queimar quando ele nos deixasse. As crianças estavam absolutamente loucas por ele.

Mas, no fim da segunda semana, sabendo que tudo iria acabar em breve, ele começou a entrar em depressão e a ficar muito quieto. Sei que Paul estava pensando na partida. Ele entornava caixas e mais caixas de Cristalle, Yquem e uísque. Mas suportava muito bem a batida e, por causa de seus delicados mecanismos, nunca tinha ressacas e era imune a dores de cabeça. A única vez em que mostrou ter bebido excessivamente foi quando se envolveu num pequeno acidente na Terceira Avenida, no Jaguar de Peter. Ele de fato bateu de lado num táxi, por pouco não atingindo um caminhão estacionado à porta da Bloomingdale's, mas pegou seis carros que estavam parados em um sinal luminoso. Ninguém se machucou, mas ele acabou com a frente do automóvel e se esforçou para não danificar a mala, onde carregava mais três caixas de Château d'Yquem. Paul ficou simplesmente arrasado com o ocorrido e pediu-me para não contar a Peter quando ele ligasse, e por isso não o fiz, o que foi uma falta de lealdade. Ele disse que o carro precisava mesmo de uma nova pintura, pois o prata era muito comum. Apesar de sua predileção por roupas de baixo e camisas de lamê prateadas, ele achava que essa era uma escolha ruim para a cor do carro, e resolveu repintá-lo de amarelo-canário. Ele me jurou que Peter ficaria muito mais feliz quando o visse, o que era doce da parte dele.

Foi um interlúdio em minha vida cheio de êxtase e emoções com as quais eu nunca havia sonhado e, em nossa última noite, ao lembrar que iria me deixar, Paul ficou muito deprimido até para tentar o salto duplo. Ele disse que seu pescoço doía muito. Só queria deitar na cama comigo e me abraçar. Falava sobre a solidão que iria sentir agora, ao voltar para a oficina. Disse que as coisas não seriam mais as mesmas outra vez e eu não podia discordar. Por mais que sentisse falta de Peter, eu não podia imaginar a vida sem Paul agora. Havia sido um período de emoções conflitantes para ambos e profundamente confuso. Eu até me perguntava se Peter significaria tanto para mim agora. Em duas semanas, Paul fizera tudo o que podia para alargar meus horizontes. Chegou até a comprar um minivestido de lamê dourado com aberturas para meus seios. Ele queria que eu o usasse para jantar no Côte Basque, mas nunca tive chance. E embora não quisesse admiti-lo, acho que o estava guardando para Peter. Foi a única coisa que guardei. O resto fora democraticamente repartido entre ambos.

A última manhã era o verdadeiro teste, pois ele não podia dizer adeus às crianças. Ambos entendíamos que era impossível para elas saber que eu estava envolvida com duas pessoas, ou então uma e um clone. Eles tinham que pensar que, naquela noite em que Peter chegou, era a mesma pessoa que estava chegando em casa. Fiz os *waffles* de Paul pela última vez, pelo menos até aquela altura e, em vez de xarope, ele os cobriu completamente com uísque. Ele era louco pelos meus *waffles*.

E então veio o momento final. Eu o ajudei a fazer as malas, todas as peças de lamê prateado e dourado, as calças *jeans* de veludo verde-amarelado, os ternos de fibra elástica imitando pele de zebra e de leopardo. Tocar cada uma delas me trouxe de volta lembranças, e olhar para ele quase arrancou meu coração.

— Deixar você é a coisa mais difícil que já fiz — disse ele enquanto as lágrimas desciam por seu rosto e, por um momento interminável, eu o abracei e o trouxe para bem perto do meu coração. Tanto que seu sinal da paz de diamante ficou incrustado em meu peito e lá deixou uma marca.

— Você vai voltar — sussurrei, lutando contra as lágrimas.
— Peter vai viajar novamente.

Klone e eu

— Em breve, espero — disse ele, aparentando estar perturbado. — Vou ficar tão sozinho na oficina sem você. — Desta vez ele iria ficar num laboratório em Nova York, mas quando perguntei se poderia ir visitá-lo, ele balançou a cabeça. — Eles me desmontam e trocam todos os fios cada vez que vou para lá — disse. — Não quero que me veja dessa maneira. Eles reconstroem meu corpo e arrancam a minha cabeça. — Era uma imagem à qual eu ainda tinha dificuldade para me ajustar.

— Certifique-se de que não mudem nada que eu amo — eu disse sorrindo e ele então deu um riso meio forçado, a malícia dançando novamente em seus olhos. Nunca esquecerei esse momento. Ele estava usando calças de cetim de brinco-de-princesa e uma camisa de vinil amarelo com bolinhas feitas de imitações de diamante.

— Eles podem reconstruir o que você quiser, menor ou maior — disse ele. — Há infinitas possibilidades.

— Não mude nada, Paul. Você é perfeito assim — tranqüilizei-o. E então, sem dizer nada, fechou as malas púrpura feitas de pele de jacaré produzidas para ele na Hermès, caminhou lentamente na direção da porta do meu apartamento e parou para me olhar.

— Eu voltarei — disse com ar vitorioso e ambos sorrimos, sabendo que era verdade, ou pelo menos esperando que fosse. E logo ele estava longe, enquanto eu havia sido deixada solitária no apartamento vazio para pensar nele e no salto quádruplo. Era difícil não pensar.

Eu tinha exatamente duas horas para me compor, me reajustar e tentar desviar meus pensamentos dele para virar minha mente e meu coração de volta para Peter. Ele me pedira para pegá-lo no aeroporto, e eu não tinha certeza se podia fazê-lo. Não era fácil voltar para Peter, depois de Paul. Ele me marcara profundamente. E eu não tinha mais certeza do que Peter significava para mim agora. Minhas duas semanas com o clone haviam, literalmente, mudado a minha vida e eu sabia disso. Tomei um banho pensando em Paul e nas horas que passamos conversando ali. Peguei uma foto de Peter para me lembrar de como ele era. Eles eram idênticos, claro, mas havia algo nos olhos de Peter, em seu coração, que era muito diferente e falava à minha alma. E então tive que me lembrar de que Paul era apenas um clone, uma massa de fios e peças de computador que havia sido brilhantemente construída, mas não era real. E, na verdade, por mais que eu tivesse me divertido ao seu lado, ele não era Peter. Agora eu estava voltando lentamente para a Terra.

Coloquei um novo *tailleur* preto da Dior e um chapéu, e me olhei no espelho. Parecia tão apática, quase tão enfadonha quanto na época em que usava as camisolas de flanela de tempos passados. Mas, para levantar meu astral, coloquei o novo bracelete de diamantes e esmeraldas e o broche de rubi que Paul comprara para mim pouco antes de partir, junto com brincos que combinavam. Eles eram da Van Cleef e, como ele sempre fazia, pôs tudo na conta de Peter. Tinha certeza de que seu mentor ficaria feliz ao saber que havia comprado algo do qual eu gostara tanto.

Eu ainda me sentia reprimida na limusine a caminho do aeroporto. Paul havia tentado me convencer a alugar a branca com a banheira térmica na traseira, mas eu tinha a sensação de que Peter ficaria mais feliz com uma preta e menor. Simplesmente não podia vê-lo usando a banheira, embora Paul o tivesse feito e eu adorado.

O avião estava atrasado e fiquei em pé no portão esperando Peter por meia hora, ainda me perguntando como eu iria me sentir quando o visse. Era difícil dizê-lo, depois das duas semanas que passara ao lado de Paul. Eu me perguntava se tudo estaria acabado agora. Esperava que não.

E então, enquanto aguardava ofegante que pessoas vestidas de ternos, *shorts* de corrida e bermudas começassem a desembarcar, vi Peter. Ele estava altivo e elegante, exibia um novo corte de cabelo e um ar sério, e aquele jeito incrivelmente vigoroso de andar. Vestia um *blazer* com forro duplo, calças pregueadas cinzentas, uma camisa azul, claro, e uma gravata da Hermès com um fundo azul marinho e pequenas bolinhas amarelas. E o simples fato de vê-lo caminhando em minha direção me deixou sem fôlego. Não se tratava de uma imitação, era de verdade, um homem de verdade, e eu sentia meu coração palpitar enquanto o via se aproximando. Num instante podia dizer que nada mudara entre nós. Para grande surpresa minha, eu o amava mais do que nunca. Era difícil explicar, depois do tanto que eu me divertira com seu clone. Mas Peter era real e Paul não.

Falamos ininterruptamente no caminho de casa sobre a vida, as crianças, seu trabalho e tudo que ele havia feito na Califórnia nas duas últimas semanas. Ele não fez nenhuma pergunta sobre Paul, nem sobre como tudo havia transcorrido, ou quando ele se fora. Só quis saber por que eu tinha ido ao aeroporto de limusine, em vez de usar o Jaguar. Tive de explicar que Paul sofrera um pequeno acidente com o carro. Garanti que haviam apagado o incêndio no motor imediatamente e, a não ser a frente totalmente destruída, houve pouco dano adicional. A mala ainda se abria com facilidade, todas as correias estavam sendo trocadas e ele iria adorar a pintura amarelo-canário e as rodas vermelhas. Vi a musculatura de seu maxilar se contrair e, em consideração a ele, não falei nada sobre isso. Ele era um cavalheiro, um bom sujeito como sempre foi.

Ele parecia mais feliz ao me ver quando voltamos para casa. Deixou suas malas no carro, mas subiu por uns instantes para tomar uma xícara de chá. E então me beijou. E quando o fez, eu sabia que nada mudara entre nós. O beijo de Peter era mais poderoso do que os saltos duplo, triplo e quádruplo de Paul. Só o fato de vê-lo fez meus joelhos tremerem. Eu era louca por ele.

Ele voltou para sua casa então, para tomar banho e mudar de roupa e, quando voltou naquela noite, as crianças pareceram desapontadas quando o viram entrar pela porta. Ele usava *jeans*, uma camisa *oxford* azul, uma suéter de *cashmere* azul-marinho e os sapatos Gucci tipo mocassim. Tinha que me lembrar de que aquele era Peter e não Paul, e que meus dias de fibra elástica de leopardo e lamê dourado estavam acabados até segunda ordem. Tentei não pensar em Paul e em sua cabeça desmembrada na oficina. O que era mais importante é que eu havia perdido a minha por Peter mais uma vez, embora não tivesse qualquer pesar por Paul.

E enquanto eu lhe fazia um martíni na cozinha, Charlotte entrou e cochichou.

— O que aconteceu com ele? Não andava como um careta há semanas. E olhe agora para ele.

Mas a verdade é que eu adorava sua aparência, mais do que os trajes extravagantes do seu clone. Eu amava seu visual careta e o achava irresistivelmente *sexy* e muito elegante. Mas isso era difícil de explicar para Charlotte, que preferia os *jeans* verdes fluorescentes e o macacão de cetim de brinco-de-princesa que ele prometera emprestar a ela.

— Ele só está cansado, Char — expliquei vagamente. — Talvez esteja mais quieto. Talvez tenha tido um dia ruim no escritório.

— Acho que ele é esquizofrênico — disse ela com brusquidão. Possivelmente. Ou talvez eu é que fosse. Também era uma opção.

Mas ficaram ainda mais surpresos ao descobrir que ele havia voltado para o seu apartamento. Expliquei que as obras que fazia por lá iam tão bem que não precisava mais de nosso quarto de hóspedes, pelo menos por enquanto. E o coração de Sam pareceu partir-se ao ouvir isso.

— Você não vai ficar aqui? — perguntou ele, desconsolado, e Peter balançou a cabeça.

— Mudei-me para meu apartamento nesta manhã — explicou Peter, enquanto sorvia seu martíni e brincava com as azeitonas.

— Deve ser a comida da mamãe — disse Sam, ainda balançando a cabeça, enquanto voltava para seu quarto. Era hora de ajuste para todo mundo, em especial para mim, enquanto sentávamos no sofá de mãos dadas, e finalmente íamos para o meu quarto assim que notamos que as crianças estavam dormindo. Pelo puro hábito adquirido nas últimas duas semanas, acendi as velas nos dois lados da cama, no que Peter ergueu a sobrancelha.

— Isso não é perigoso? — inquiriu ele, parecendo preocupado.

— Não acho... é lindo. — Virei-me para encará-lo. Ele me fitava cautelosamente. Eu sabia que ambos nos fazíamos a mesma pergunta. Como seria a partir de agora?

— Você é linda, Stephanie — disse ele delicadamente. — Senti sua falta enquanto estava longe. — E eu podia ver pelo seu olhar que queria mesmo dizer isso.

— Eu também — respondi num suspiro à luz de velas.

— É mesmo? — Ele parecia preocupado, mas no entanto queria acreditar que aquilo fosse verdade, e era. Eu agora o amava ainda mais.

— As coisas não foram as mesmas aqui sem você. — Uma frase feita das mais obscenas. Mas eu sentira falta dele. Terrivelmente. Só de vê-lo em pé ali outra vez me fez lembrar de tudo que fizemos juntos. E depois ele se aconchegou, gentil como sempre, puxou-me para perto de si e, enquanto o fazia, tudo o mais foi esquecido, como se Paul se desvanecesse de minha memória no momento em que Peter me tocou, apagando um bloco inteiro de informações e sentimentos. Isso era muito estranho e eu não entendia nada.

Peter era tudo o que eu sempre soube que era, meigo, amoroso, astuto, atencioso, sensual, um amante extraordinário de todas as maneiras. Não havia giros nem flexões acrobáticas, nenhum salto duplo mortal, nem triplo, nem quádruplo. Havia apenas nós dois, transportados para um lugar do qual eu quase havia me esquecido nas duas últimas semanas. E, quando caí em seus braços depois de tudo, ele gentilmente acariciou meu cabelo para depois me beijar.

— Deus, como senti a sua falta — disse ele e sorri.

— Eu também senti saudades... tanto... foram dias de loucuras. — Mas de certa maneira, embora eu não tivesse percebido naquele momento, aquilo havia me mostrado o quanto eu o amava. Ele não perguntou nada sobre Paul ou sobre o que fizemos juntos. Eu sentia facilmente que ele não queria saber de nada, embora tivesse certeza que suspeitava. Mandar-me Paul foi algo que ele fizera para mim, uma espécie de presente, mas, em sua cabeça, tudo estava acabado. Na minha, era algo com que eu teria de conviver e absorver. Mas era Peter que importava para mim, e que era parte da minha vida real, não seu clone.

Klone e eu

E onde quer que Paul estivesse agora, eu sabia que já teriam arrancado seus fios e sua cabeça.

— Você estava linda quando foi me pegar hoje — disse Peter calmamente à palpitante luz de velas. — Onde conseguiu todos aqueles rubis? Eram verdadeiros? — Eles foram extraordinários, mas ele estava tão excitado ao me ver que se esquecera de mencioná-los.

— Vieram de você — sorri, olhando para ele de baixo para cima enquanto deitava sobre seu ombro. — Paul os comprou para mim na Van Cleef. São lindos, não são?

— Ele pôs na minha conta? — perguntou Peter, tentando heroicamente não parecer tão atordoado. Acenei que sim e senti que ele estava ficando cada vez mais ansioso enquanto deitávamos lado a lado.

— Ele disse que sabia que você iria querer que eu os tivesse. Obrigado, querido. — Aninhei-me mais junto dele e senti sua tensão quando ele deitou de lado e não falou mais nada sobre os rubis. — Eu te amo, Peter — disse, agradecida, lembrando-me das coisas milagrosas que ele acabara de fazer por mim. Era bom tê-lo em casa outra vez, melhor do que nunca fora.

— Eu também te amo, Steph — murmurou ele. E eu sabia que, onde quer que estivesse, voltasse ou não outra vez, com seu jeito amoroso e inimitável, Paul Klone havia trazido Peter para mais perto de mim ainda.

Capítulo Sete

Os três meses seguintes com Peter foram marcantes a seu próprio jeito, as crianças se readaptaram a ele, embora se perguntassem o que havia acontecido, após duas e breves semanas nas quais ele beirara a insanidade e vestia roupas "maneiras". Mas se adaptaram novamente aos sapatos Gucci, assim como eu.

Peter e eu passávamos um bocado de tempo juntos, e eu nunca havia sido tão feliz na vida como era com ele. Íamos ver filmes e peças. Eu encontrava todos os seus amigos e gostava da maior parte deles. Ele passava fins de semana comigo, sempre que as crianças iam ficar com o pai. E dormia vez por outra em seu apartamento, quando tinha uma babá para as crianças, e voltava às seis da manhã para fazer o café ainda sorrindo e lembrando de minhas noites com Peter.

A cada dia eu me apaixonava mais por ele, apesar dos raros momentos de pura sedução e de suas ocasionais dúvidas sobre o envolvimento comigo, que eu achava advir de seus anos de independência. Segundo ele, eu era o primeiro relacionamento sério que tinha em muitos anos. A liberdade era importante para ele. Era de fato muito diferente de Paul. Por seu turno, Paul parecia precisar de muito pouca liberdade. Mas Peter era outra história. Ele havia ficado solteiro por um longo tempo e, de certa maneira, eu suspeitava que compromissos em geral não lhe eram fáceis.

Mas, apesar disso, o relacionamento parecia sólido. Ele significava muito para mim, e era óbvio que para Peter também. Era uma relação muito mais significativa do que as que eu já tivera com alguém, incluindo, e talvez até especialmente, Peter. Ela era real, tão real quanto poderia ser, com altos e baixos, gargalhadas, lágrimas eventuais e as confidências mútuas que partilhávamos. E havia muitas delas. E embora eu houvesse tido dúvidas sobre ele quando me mandou o clone, decidi finalmente que, apesar de talvez ser fora do comum, Peter era, de fato, normal e muito são. O clone era simplesmente uma faceta a mais. E, evidentemente, como todo homem, ele precisava me lembrar de tempos em tempos de que havia partes dele que eu não conhecia, e mais algumas que eu poderia nunca vir a conhecer. Isso acrescentava um véu de mistério que ele parecia achar importante, mas na verdade eu via quem ele era, e ele tinha menos segredos para mim do que queria acreditar. Eu estava disposta a aceitar que havia algumas partes pequenas, obscurecidas e escondidas que ele queria guardar para si, mas elas não me assustavam. O que eu via, sentia e conhecia era um homem bom, generoso, sensível, inteligente e amoroso. E ele me provou isso de milhares de maneiras.

Era sempre paciente e amoroso com as crianças, e tinha um tipo especial de empatia e ternura para lidar com Sam. Também era tolerante e compreensivo para com o gênio e as evasivas de Charlotte e o fato de ela gostar dele alguns dias e em outros nem sequer dizer oi. Eu a censurava quando era rude com ele, mas em compensação ele me repreendia por minha falta de compaixão, e era sempre rápido ao me explicar o motivo de não ser fácil para ela. Aí eu tinha que voltar atrás e lhe dar uma chance de vir a conhecê-lo em seu próprio tempo.

Mas foi com Sam que ele me comoveu particularmente no final de outubro. Foi de fato no Halloween, quando eu fazia uma fantasia de Batman para ele. Roger lhe prometera uma festa de Halloween e não havia como eu levá-lo, pois prometera acompanhar Charlotte no baile da escola. E era importante para ela que eu estivesse ao seu lado. Se não houvesse um número suficiente de acompanhantes, o baile seria cancelado, e a minha negativa colocaria todo o evento em risco, já que a maior parte dos pais não demonstrou vontade de comparecer. Eu prometera a ela ir de qualquer jeito, mas, no último minuto, Roger ligou e disse que Helena adoecera e não poderia mais levar Sam para sair. Expliquei que isso era *obrigação* dele, mas ele replicou que Helena não entenderia a importância disso, pois desconfiavam que ela estava com apendicite. Eu mesma teria de fazer outros planos para Sam. Peter ouvia tudo na maior calma, sentado no sofá, enquanto eu guerreava futilmente com Roger no telefone.

Sentei-me quieta por um longo período, imaginando o que fazer e a desculpa que daria a Sam. Já me comprometera com o colégio de Charlotte, que estava em seu quarto se vestindo para o baile. Dar para trás com ela no último minuto seria um pecado que ela nunca perdoaria, mas deixar Sam em casa com a babá no Halloween partiria seu coração.

Atravessei rapidamente a sala, correndo na direção de Peter, cheia de desespero nos olhos.

— Roger não pode mesmo ir? — Ele me olhou de um jeito simpático, enquanto eu balançava a cabeça, pensando nas opções que restavam em minha mente. Eu me questionava se devia chamar uma babá para levar Sam à festa, mas já era tarde demais para encontrar uma disponível e eu conhecia Sam. Ele optaria por não ir e eu sabia como o Halloween era importante para ele. Eu precisava ser duas pessoas e, ao contrário de Peter, não havia saída para mim. Eu não tinha um clone.

— Eles acham que Helena está com apendicite — expliquei com um olhar melancólico. — Droga, ela não podia ter uma crise em outra hora?

Peter andou pela sala e veio na minha direção com um sorriso gentil e um olhar afetuoso.

— Eu o levo, se ele quiser ir comigo. Não tenho nada para fazer essa noite. — Ele planejava ir jantar com amigos enquanto eu ia ao baile de Charlotte. E na verdade eu não sabia se Sam desejaria ir com ele. Ele esperava ir com o pai e, embora gostasse de Peter, sair com o homem da minha vida no Halloween não era exatamente a mesma coisa. — Por que não me deixa perguntar a ele? — disse Peter ao acaso. — Se ele topar, cancelo meus outros compromissos. —· Eu sabia que ele gostava das pessoas que ia encontrar e que elas só ficariam por alguns dias na cidade até voltarem para Londres; e era a única noite livre que tinham. Mas da minha cabeça não vinha nenhum questionamento. Eu precisava de sua ajuda.

— Vou perguntar a ele primeiro — disse, agradecida, para depois parar e lhe dar um beijo. — Obrigada por fazer isso... sei que vai significar muitíssimo para Sam.

Mas quando Sam soube do que aconteceu, ficou muito decepcionado. Nem se importou com a oferta de Peter, pois estava furioso com Roger e, de tão desapontado, amassou a roupa de Batman até ficar com o formato de uma bola e a jogou no chão.

— Eu não vou — disse ele, atirando-se na cama, com lágrimas de derrota e pesar escorrendo pelo seu rosto. — Papai sempre foi comigo ao Halloween... não vai ser a mesma coisa.

— Eu sei, querido... mas não é culpa dele se Helena está doente. E ele não pode simplesmente sair e deixá-la sozinha. E se ela tiver que ir para o hospital e ele não estiver por lá?

A voz que veio das estranhas de seu travesseiro soou abafada, mas nem por isso inaudível.

— É só ela ligar para o emergência.

— Por que Peter não pode ir com você?

— Ele não é meu pai. Por que você não pode? — disse Sam, rolando de frente para me fitar com ar de lamento e as lágrimas ainda frescas em seu rosto.

— Eu tenho que ir ao baile de Charlotte. — Enquanto proferia essas palavras, vi a porta se abrir e Peter entrar cautelosamente no quarto. Ficou ali de pé, hesitante por um momento. Fitou Sam nos olhos, de homem para homem, e fez uma pergunta atenciosa.

— Posso entrar? — Sam assentiu, mas nada disse enquanto Peter ia lentamente até sua cama e se sentava numa das beiradas. Saí do quarto calmamente, rezando para que ele empregasse as palavras certas.

Não tenho noção completa do que aconteceu depois daquilo, exceto pelo que Sam me disse muitos dias depois. Segundo meu filho, o pai de Peter morrera quando ele tinha dez anos e a mãe teve que trabalhar muito duro para sustentar ele e seu irmão mais novo. Nunca tivera ninguém para acompanhá-lo. Mas havia sido muito íntimo do pai de seu melhor amigo, que pescava com eles, acampava e até esquiara no gelo uma vez. E o pai de seu melhor amigo os levara ao acampamento de pais e filhos. Também não foi a mesma coisa para Peter, mas a partir desse dia, como falou para Sam e meu filho me contou mais tarde, ele e o pai de seu melhor amigo continuavam amigos. Ele ia a Vermont, onde o velho vivia agora, para revê-lo a cada ano. E isso significava mais para ele do que nunca, pois o filho do homem, o amigo de Peter, morrera no Vietnã.

Sam, obviamente, ficou impressionado com a história, pois, meia hora depois, apareceu em meu quarto com Peter ao seu lado, vestido de Batman, e com um olhar de resignação no rosto.

— Peter disse que iria como Robin — anunciou Sam —, se você tiver algo para ele vestir. — Sem problema, uma roupa de Robin estava saindo rapidamente, vinte minutos antes de eu sair para o baile. A maternidade é feita desses pequenos desafios. Fizemos buracos para que ele pudesse enxergar através de uma velha máscara para dormir que peguei num avião. Descobri uma velha camiseta colante cinzenta e uma capa de lã preta, e ele de fato ficou bem verossímil, mesmo com sua roupa de flanela cinzenta. De algum modo, não podia vê-lo deixando o prédio com uma malha cinzenta, mesmo se eu tivesse alguma, o que, graças a Deus, não tinha. E por um momento, enquanto olhava para ele antes dos dois saírem abraçados, Peter me lembrava mais Paul do que o próprio. Paul teria a malha, é claro, e um par de botas Versace para combinar, mas as calças largas e os mocassins cinzentos de Peter caíam muito bem. Beijei os dois antes de saírem, agradeci a Peter e corri de volta ao quarto, para escovar o cabelo e pôr o vestido para o baile de Charlotte.

— Você está atrasada, mamãe! — Cinco minutos depois, ela me dirigiu um olhar ameaçador da entrada da porta, enquanto eu colocava os sapatos e fechava o zíper do vestido simultaneamente.

— Não, não estou — eu disse sem fôlego, enquanto pegava a bolsa e sorria para ela. Não havia a menor dúvida de que Peter salvara o meu dia.

— O que estava fazendo? — Demoraria muito tempo para explicar. Ela deduziria que estive comendo bombons e vendo meu programa favorito na TV.

— Nada — respondi modestamente. Estava apenas salvando o Halloween de Sam e vestindo Peter de Robin. Nada demais. Fazia coisas como essas todo dia.

— Vamos lá. Não podemos chegar atrasadas — disse ela, passando-me meu casaco e minha bolsa, enquanto saíamos apressadas.

Do jeito como as coisas transcorreram, não estávamos. Pegamos um táxi imediatamente e me apresentei como acompanhante na hora marcada. Charlotte se divertiu bastante no baile e, quando fomos para casa, Peter e Sam estavam sentados no sofá, conversando como velhos amigos. Eles já haviam consumido diversas barras de chocolate Hershey, quatro pacotes de Rolos, e havia papéis prateados dos Hershey's Kisses e embalagens laranja de Kit Kat espalhadas pelo sofá. Mas, junto com a dor de estômago que eles logo iriam partilhar, era óbvio que um novo vínculo fora estabelecido e, mais uma vez, Peter havia conquistado meu coração.

— Como foi? — perguntei enquanto Charlotte desaparecia da sala, após me agradecer convenientemente por tê-la levado ao baile.

— Foi ótimo! Peter e eu vamos ao jogo entre Princeton e Harvard — anunciou Sam orgulhosamente. — E ele disse que vai me levar na excursão escolar de esqui, se papai não puder ir. — Peter me fitava nos olhos por cima da cabeça de Sam e vi algo que nunca vira anteriormente: algo terno, aberto e muito acolhedor. Quaisquer que fossem as reservas de Peter em se comprometer comigo, Sam fizera sérias incursões pelo seu coração naquela noite. Era um olhar que, por mais que a tecnologia avançasse, jamais poderia ser clonado.

E quando fui beijar Sam na hora de dormir, ele deitou no travesseiro e riu para mim.

— Ele é um cara legal — foi seu comentário sobre Peter. Tudo o que pude fazer foi concordar e lutar contra o nó na minha garganta.

— Eu te amo, Sam — cochichei suavemente.

— Eu também te amo, mamãe — disse ele com um bocejo de quem estava para dormir. — Obrigado por um fantástico Halloween.

Peter e eu falamos por um longo tempo naquela noite: sobre sua infância, a morte do pai e a relação que tivera com a mãe quando estava com quatorze anos. De certa maneira, ele era um homem estranho e solitário, mais até do que eu percebera, o que explicava por que era tão cauteloso acerca de se apegar a alguém. Creio que temia que, se nos amasse demais, algo terrível aconteceria e ele nos perderia. Mas quaisquer que fossem as cercas que tivesse erguido ao seu redor ao longo dos anos, era óbvio que Sam as pulara naquela noite, vestido de Batman no Halloween.

— Acho que me diverti mais do que ele essa noite. Ele é um grande garoto. — Peter sorriu amorosamente para mim e me puxou para mais perto dele no sofá.

— Ele disse exatamente a mesma coisa sobre você antes de ir dormir, e concordo plenamente. Obrigada por salvar nosso dia. Mais do que isso. Obrigada por salvar minha vida.

— A qualquer hora — disse e fez uma rápida reverência de onde estava sentado no sofá — Robin, ao seu dispor. — Ele me beijou então, e seus beijos tinham gosto de barras de Hershey e Kit Kats. Gosto disso num homem. Houve um monte de coisas das quais gostei em Peter naquela noite, e foi como se me apaixonasse por ele mais uma vez.

Conheci o filho de Peter no Dia de Ação de Graças que, é claro, me tratou como se suspeitasse de mim e portou-se o mais indelicadamente possível, o que foi um consolo. Isso me lembrou de como Charlotte tratou Peter no começo. Ela há muito concluíra que Peter era enfadonho, porém inofensivo. E Sam gostava realmente dele, especialmente depois do Halloween.

Foi no começo de dezembro que Peter me falou que teria de voltar para a Califórnia por mais duas semanas. Não ia lá há quase três meses. E quando disse isso, quase receei fazer a pergunta óbvia. Ele não ofereceu nada e não ousei perguntar. Levei-o ao aeroporto no Jaguar que, àquela altura, fora repintado *mais uma vez*. Ele fizera com que o carro voltasse a ser prateado. Seu breve período na cor amarelo-canário nunca viu a luz do dia. Ele não permitiu que o automóvel saísse da oficina daquele jeito, o que para mim, de certa maneira, foi uma pena. Paul achou aquela cor incrível e a escolheu cuidadosamente, pensando que Peter iria gostar. Mas como em tudo, nada a não ser a aparência dos dois era igual.

Peter beijou-me apaixonadamente quando o deixei no aeroporto e pediu para que eu não me sentisse sozinha e me mantivesse ocupada enquanto estivesse ausente. Havia um monte de festas pré-natalinas para as quais fomos convidados, e ele insistiu para que eu fosse a todas. Disse a ele que não tinha certeza se queria e matutei, enquanto dirigia de volta à cidade. Eu não queria ir às festas sem ele. Fiquei quase triste por ele não ter mandado o clone dessa vez ou sequer prometido. Eu sentia falta dele. Seria uma boa hora para tê-lo por perto. Mas a última visita de Paul obviamente perturbou Peter. E desta vez, enquanto partia, não disse nada sobre seu clone vir me ver, e nem mesmo perguntei. Creio que Peter se arrependera de ter me mandado Paul na primeira oportunidade. Nunca mais o mencionou e tive a impressão de que, para ele, a primeira visita escapara do controle.

Estava fazendo o jantar para as crianças naquela noite, quando o porteiro chamou pelo interfone e disse que algo havia chegado. Por isso, quando a campainha tocou, mandei Sam atender e ver quem era. Ele voltou para a cozinha com um largo sorriso.

— O que é? — Eu dissera para não abrir a porta até que visse quem era pelo olho-mágico.

— Não é o quê, é quem — disse ele com um olhar entendedor e foi logo explicando. — É Peter, ele está de volta e parece que está numa boa outra vez. Eu acho que, no fim das contas, ele não foi para a Califórnia. — Bastou ouvir o que Sam disse, para que eu começasse a me fazer várias perguntas. Larguei a espátula que segurava e corri para a porta, ainda de avental. Vestia *jeans* e uma velha suéter. Abri a porta e então o vi ali em pé, cercado de pilhas de maletas de couro de jacaré púrpura. Era Paul e estava sorrindo exultante para mim. Ele havia claramente subornado o porteiro para deixá-lo subir sem ser anunciado. Sempre lhe dava boas gorjetas.

Vestia calças verde-amareladas de cetim, uma jaqueta de *vison* e por dentro dela não se podia ver nenhuma camisa, apenas o seu peito nu e o sinal da paz de diamante tremeluzindo para mim.

— Feliz Natal! — foram as primeiras palavras que disse, para depois me beijar com uma paixão incontrolável.

— Puxa! — sussurrei, examinando-o cuidadosamente. Ele não mudara nada em três meses. Poderia ser Peter, mas eu sa-

Klone e eu

bia que era Paul, de volta de onde quer que tivesse estado para aperfeiçoar sua fiação e trocar seus *chips*. Só Deus sabia o que haviam feito agora. Mas eu estava excitada ao vê-lo. — Como é que você estava? — De repente, percebi o quanto havia sentido sua falta. Mais do que eu admitiria a Peter ou até a mim mesma.
— Andava superentediado, muito obrigado. Passei três meses com a cabeça fora do corpo. Eu nem sequer sabia que ele estava indo viajar novamente. Só me falaram hoje de manhã. Vim tão logo ligaram.
— Acho que ele decidiu de repente — cochichei. E eu estava mais feliz em vê-lo do que sabia que devia. Os últimos três meses com Peter foram maravilhosos... mas Paul trouxe com ele algo mágico e muito diferente. Um tipo de loucura abençoada por espíritos ultrajantes e beijada por elfos. Ele estava calçando botas de *cowboy* amarelas de couro de jacaré e, quando tirou a jaqueta de *vison*, pude ver que vestia uma pequena camiseta preta transparente, coberta de imitações de diamante. Ele parecia muito festivo e feliz em me ver.

Abraçou as crianças e Charlotte olhou-o de cima a baixo e disse:
— O que é agora? Está em mais uma de suas recaídas doidas, Peter? — Mas ela sorriu para ele. Ela gostava quando ele ficava um pouco maluco. E Sam deu uma risadinha acanhada ao ver a roupa, enquanto Paul se servia de meia dose de uísque. Desta vez sabia onde eu o guardava, tirou-o do guarda-louças com um sorriso e deu uma piscadela para as crianças.
— Você vai ficar com a gente outra vez? — perguntou Sam, parecendo entretido. Na última vez em que "Peter" apareceu desse jeito, ele ficou em nosso quarto de hóspedes por duas semanas. Ele achava que as botas de *cowboy* amarelas eram um pouco bobas. Mas Peter era seu camarada, e o havia sido por

meses, de calças cáqui ou cetim verde-amarelado. Eles estavam ficando acostumados com o que pensavam ser variações de seu temperamento e seu jeito despojado de se vestir. E, como se para me confirmar isso, Charlotte me cochichou o seguinte depois que ele saiu da cozinha com Sam.

— Mãe, ele precisa de um Prozac. Num minuto ele é todo quieto, sério, e quer jogar palavras cruzadas com Sam; no outro, ele entra, agindo como Mick Jagger e vestido como Prince.

— Eu sei, querida, ele vem sendo muito pressionado no trabalho. As pessoas expressam isso de formas diferentes. Eu acho que se vestir desse jeito serve como antídoto para seu estresse.

— Não sei de que jeito gosto mais dele. Eu meio que me acostumei com seu visual normal. Mas isso agora é um pouco embaraçoso. Na última vez eu achei legal, mas agora acho que parece meio bobo. — Ela estava crescendo e sorri para ela.

— Ele vai superar isso em umas duas semanas, Char. Eu prometo.

— Seja lá o que for. — Ela encolheu os ombros e pegou a salada para colocar na mesa. Paul ainda estava ali sentado com Sam, e deleitava a todos nós com histórias escandalosas de reuniões que havia estragado com guerras de almofadas e sapos vivos através dos anos. Era um lado dele que Sam particularmente adorava, e me vi prestando atenção em tudo que dizia. Assim como Charlotte, eu havia me acostumado com Peter e ver Paul outra vez era um pouco confuso. Eu não tinha certeza se estava pronta para viver mais duas semanas de êxtase intenso e saltos quádruplos. Bem no fundo do meu coração, vim a amar melhor o jeito sereno de Peter. E, agindo do seu jeito, ele era duas vezes mais *sexy* do que Paul, que consumia um bocado de energia e bebia uísque suficiente para abastecer todo o estado de Nebraska. Eu nem mesmo tinha champanhe em casa para ele. Ele pediu uma sobremesa, mas na hora resolveu atacar meia garrafa de Yquem que ainda sobrara de sua última visita.

Naquela noite, ele ensinou Sam a jogar pôquer, jogou dados com Charlotte em seguida e, depois que o derrotaram, ambos foram para a cama, ainda felizes com o jeito dele de se comportar. Paul tinha lhes dito que decidira não ir a Califórnia, que estava ficando conosco porque havia emprestado seu apartamento para uns amigos de Londres. Paul se mostrava muito atencioso quando explicava as coisas para as crianças, para que elas não soubessem a verdade sobre ele ou que Peter tinha viajado.

Mas assim que as crianças foram para a cama, fui honesta com ele e lhe disse o que estava pensando.

— Paul, não sei se você deve ficar aqui. As coisas com Peter ficaram mais sérias nos últimos meses. Acho que ele não iria gostar disso. — E o que é mais importante, eu não estava a fim de me entregar. Era simplesmente muito confuso para mim.

— Isso foi idéia dele, Steph. Eu não estaria aqui se ele não tivesse me mandado. Recebi uma ligação de seu escritório. — Isso me surpreendeu. Ele não pareceu ter ficado tão feliz com o que aconteceu quando mandou o clone em setembro. — Ele espera que fiquemos juntos enquanto está longe.

— Por quê? Posso ficar bem comigo mesma durante duas semanas. — Isso me fazia parecer uma ninfomaníaca ou algo que o valha, como se eu tivesse que fazer sexo quatorze vezes por dia e manter o candelabro aceso durante cada sessão, só porque Peter estava na Califórnia. E não era simples para mim. Além do mais, tinha muito o que fazer com as crianças, estava me preparando para as férias, havia começado a procurar um emprego e tinha várias festas para ir. Tentei explicar isso a Paul enquanto estávamos sentados na sala de estar e ele abria outra garrafa de uísque.

— Ele provavelmente não quer que você saia sozinha nesta época do ano, Steph. Ele deve ter tido um motivo para me ligar e me pedir para vir aqui te ver.

— Talvez eu deva perguntar a ele — respondi, me perguntando qual era a melhor maneira de lidar com uma situação estranha como essa.

— Eu não faria isso. Creio que ele gosta de saber que estou aqui, mas não tenho certeza se quer ouvir falar a respeito. — Eu havia chegado a essa mesma conclusão na última vez. — Tipo um amigo imaginário, se entende o que quero dizer. — Mas eu entendia melhor.

— Paul, não há nada imaginário em você. Minhas costas ficaram doendo por dois meses depois que você foi embora. — O salto quádruplo não era tão simples quanto parecia, não importa quão habilidoso ele fosse ao realizá-lo. Peter estava certo. Ele era perigoso. Por isso fui parar no quiroprático de Peter, que finalmente me ajudou. Ele não me perguntou como machuquei as costas, mas eu tinha certeza de que ele sabia.

— Fale-me sobre isso. Eles tiveram que substituir todos os fios do meu pescoço depois da última vez — disse Paul, que depois sorriu para mim com um ar tão vitorioso que pensei que algo em mim estava começando a derreter, apesar de minhas boas intenções e de minha resistência a ele. — Mas valeu a pena. Vamos lá, Steph... pelos velhos tempos. . só duas pequenas semanas. É Natal. Se eu voltar agora, vou me sentir um fracassado.

— Vai ser a melhor coisa para nós dois. Qual é o sentido disso? Eu estou apaixonada por ele, e você sabe disso. Não quero estragar tudo.

— Você não pode. Eu sou o clone dele, pelo amor de Deus. Eu sou ele e ele é eu.

— Oh, Deus, outra vez não — disse, sentindo-me esmagada por sua personalidade. — Não posso passar por isso outra vez.

— Você não passou a se sentir mais próximo dele depois que parti? — disse, aparentando estar magoado com o fato de eu ter duvidado de suas boas intenções.

— Como é que sabe disso? — A verdade é que havia acontecido. Mas ele não tinha como saber. Ou será que tinha?

— Steph, foi de propósito. Creio que foi por isso que ele me mandou. Talvez eu consiga expor um lado dele que ele não sabe como fazer para te mostrar. — Fitei a calça verde-amarelada e a camiseta com falsos diamantes incrustados enquanto ele dizia isso, mas achei sua teoria um pouco difícil de ser engolida. Havia tanto de Peter nas coisas do jeito que estavam que, se ele tivesse um lado como esse, eu não estava certa de que ele precisaria mostrá-lo para mim. Essa era apenas uma experiência maluca com a qual alguém, ou Peter, havia sonhado, e que saiu do controle desde o começo. Era uma fantasia insana para se viver, e eu estava convencida de que não precisava disso. Era a fantasia dele, não a minha, e eu não tinha mais certeza de que era até a de Peter. — Veja bem, deixe-me passar a noite aqui — insistiu ele apesar de toda a minha racionalização. — Nada de salto duplo, triplo ou quádruplo. Vamos simplesmente deitar na cama e conversar, como bons amigos, de velhos tempos. E irei embora de manhã. Eu prometo.

— Para onde vai?

— De volta para a oficina. Para arrancar minha cabeça. — Que droga. Era uma maneira horrível de se passar o Natal. Nós pelo menos merecíamos um pouco de diversão antes de ele voltar

mais uma vez para a oficina. Afinal de contas, ele ficou lá desde setembro, esperando Peter viajar para a Califórnia.
— Tudo bem. Mas só essa noite. E nada de roupas engraçadas. Você pode vestir um dos pijamas dele.
— Tenho mesmo que fazer isso? Cristo, eles são tão horrorosos. Provavelmente são marrons, cinzentos ou creme. — Ele estremeceu com a perspectiva, como se sua suposta tonalidade relaxante de mingau de aveia fosse provocar uma dor verdadeira. Ele se sentiria de maneira diferente se eles fossem de cetim verde-amarelado.
— Ele é azul-marinho e tem um friso vermelho. Você vai adorá-lo.
— Duvido. Mas, por você, vou usá-lo. — Eu só lamentava ter finalmente me livrado da minha última camisola de flanela. Elas haviam desaparecido para sempre. Já havia decidido que iria dormir com meu roupão de banho, só para me sentir segura. Eu não queria incentivar Paul a fazer algo que, mais tarde, lamentaríamos.

Fomos para a cama em seguida, e usamos o banheiro separadamente. Ele saiu vestindo o pijama azul, como se julgasse que por usá-lo poderia ficar doente, e apareci com minha camisola mais casta e o roupão de banho felpudo que ele havia comprado para mim no "21". Tudo muito diferente da última vez em que nos encontramos. E, desta feita, não havia nenhuma vela. Peter estava certo e eu decidira que aquilo poderia causar um incêndio.

— Nem uma pequena? — Paul ficou arrasado quando eu lhe disse isso. Ele adorava a luz das velas e eu também.

— Não, vou desligar as luzes — alertei-o e deitei na cama ao lado dele, mas tão logo colocou um braço a minha volta, ele parecia ser Peter. Tive que ficar lembrando a mim mesma que ele não o era, mas era difícil recorrer à memória no escuro.

— Por que está tão tensa essa noite? — perguntou ele com um ar infeliz, enquanto eu deitava nervosa ao seu lado. — Ele deve estar transformando você numa frígida ou algo que o valha. Não é de se estranhar que tenha me mandado.

— Você não está aqui numa missão — lembrei-o. — Está aqui para fazer uma visita como um velho amigo e uma fantasia de sua imaginação ocasionalmente insana. — Durante os três últimos meses, Peter havia sido tão normal, que agora era difícil me lembrar de que Paul Klone havia sido sua idéia e criação.

— E a sua imaginação, Steph? Será que a perdeu completamente ou será que ele acabou com ela?

— Não, ele vem me fazendo muito feliz.

— Não acredito — disse ele com firmeza. E eu franzi o rosto na escuridão. Não estava gostando do rumo que essa conversa estava tomando. Eu não o havia convidado a ficar para que eu pudesse me defender. Eu o deixei ficar porque sentia pena dele.

— Se você estivesse tão feliz, ainda estaria tão divertida como costumava ser. Agora está mais tensa do que ele.

— Não posso dormir com vocês dois. Isso me deixa maluca.

— Eu não sou "vocês dois". Nós dois somos uma pessoa.

— Então vocês dois são doidos.

— Possivelmente. Mas ambos também amamos você. — Ele disse isso de forma prosaica.

— Eu também te amo. Só não quero me confundir outra vez. Da última vez, quando estava com você, pensava que amava você e não a ele. Então, quando ele voltou, vi que o amava e não a você. E, desde então, você esteve com sua cabeça arrancada, e por isso a coisa toda é muito insana. — Como é que eu podia discutir isso com ele? Mas ele parecia que queria. E parecia irritado quando respondeu.

— Você sabe onde está a sua cabeça, não sabe?

— Não me insulte.

— Por que você não cala a boca por um minuto? — disse ele e, antes que eu pudesse evitar, me beijou. E, apesar de toda a minha inflexível resolução, tudo recomeçou. Eu podia subitamente sentir tudo que havia sentido por ele na última vez, apesar das promessas de negação que fizera para mim mesma.

— Não! — disse e então o beijei novamente, me detestando mais do que a ele. Era ridículo. Tão logo ele me tocou, fiquei absolutamente sem resistência e sem moral.

— Assim é melhor — disse ele antes de me beijar outra vez. Eu queria esmurrá-lo, mas não o fiz. Continuei beijando-o e, depois de um tempo, não queria mais parar. Só queria ficar deitada ali, beijando-o para sempre. Até que ele me tocou. E, de repente, os beijos já não eram o suficiente e eu queria ele todo. A pior parte era que, durante todo o tempo, eu continuava sentindo falta de Peter e, simultaneamente, sentia que Paul era parte dele. Era impossível discernir quem era quem, o que era o quê, e com quem eu estava fazendo aquilo e por quê. E, no momento em que tudo acabou, eu estava tão louca quanto eles, e não mais ligava para quem estivesse na cama comigo. Estava feliz e em paz, e até mesmo o salto duplo parecia engraçado quando ele finalmente o executou.

— Você é incrível — disse ele depois, enquanto eu pensava sobre quão estranho era esse presente e quanto ambos significavam para mim, embora eu ainda preferisse Peter a Paul e soubesse que as coisas sempre seriam assim. Mas também amava a extravagância de Paul.

— Acho que você é ruim para mim. — Menti para ele,

querendo que se sentisse culpado, porque eu não estava. Ademais, tudo isso era culpa de Peter. Ele o havia inventado e mandado para mim. Se não quisesse que isso acontecesse, ele não deveria tê-lo dado para mim. Mas e se fosse alguma espécie de teste da minha castidade e da minha fidelidade? Se fosse esse o caso, eu estava com um problema sério pois, na medida em que eu estava dormindo com o clone de Peter, e não com algum estranho, eu realmente não me importava. Para todo e qualquer efeito, Paul parecia ser o mesmo homem, e ter o mesmo rosto, o mesmo corpo e o mesmo espírito. Só seu guarda-roupa era diferente, mas havia o salto triplo, que era bem mais diferente, e deveras arrepiante.

— Eu não sou ruim para você — discordou Paul. — Não faça disso algo que não é e não tem que ser. — Isso me soava como conversa fiada.

— Então o que é isso? Explique-me. Porque eu não posso — disse, sentindo-me confusa com o que ele estava dizendo e eu estava sentindo.

— Isso é uma fantasia. Uma extensão dele. Além do mais, eu dou belas jóias. O que me faz lembrar de uma coisa. — Com isso, ele acendeu as luzes, enfiou a mão dentro do pijama de Peter que estava no chão, tirou um enorme bracelete de diamantes e o deu a mim.

— Oh, meu Deus, o que é isso?

— Com que parece? Não é uma raquete de tênis ou uma cobra de brinquedo. Parei na Tiffany antes de chegar aqui.

— Oh, Paul... você realmente é maluco... mas eu amo isso.

— Sorri de orelha a orelha enquanto ele o colocava em mim.

— Agora devo realmente me sentir culpada. Você vai pensar que pode me comprar.

— Não tenho como comprar você. Só ele pode. Por que

simplesmente não casa com ele, Steph, e acaba com tudo isso, em vez de ficar pulando de apartamento em apartamento, se escondendo das crianças? Isso é uma perda de tempo estúpida. Além do mais, vocês se amam.

— Esse não é o problema.

— Não, nada disso. Esse é o problema — disse ele sabiamente.

— Não sei exatamente qual é o problema. Eu era casada e, depois de treze anos, Roger disse que nunca havia me amado. Não posso passar por isso outra vez.

— Ele é um merda e você sabe disso. Peter não é.

— Não. Mas, de qualquer maneira, ele não me pediu. E o que aconteceria conosco se resolvêssemos casar? Isso significaria o fim para nós. Jóias nunca mais.

— Não seja tão gananciosa. Além do mais, comprá-las estaria ao seu alcance. Ele ainda pode necessitar que eu fique com você quando viajar para a Califórnia.

— Duvido — disse honestamente, me questionando sobre quão louca eu era para manter essa conversa com um clone, que nem mesmo era uma pessoa de verdade. Mas ele era esperto, quase tanto quanto Peter em alguns aspectos. E, do meu jeito, eu o amava, embora não tanto quanto a Peter. Em alguns momentos, Paul era adorável, em outros, ele apenas parecia uma imitação pobre de Peter.

— Ele provavelmente a levaria para a Califórnia com ele — disse Paul seriamente. — Ele faria isso se fosse esperto, de qualquer maneira. Mas se não for, teremos o salto quádruplo pelo resto da vida. Coisas piores poderiam acontecer com você. Acho que você o ama de verdade. Às vezes acho que essa é a única coisa que faz você me amar. — Isso era verdade, claro, mas eu odiava magoá-lo. De certa maneira, Paul se feria com

Klone e eu

mais facilidade. Era difícil lembrar de que tinha fios no lugar do coração.
— De qualquer maneira, não vou casar com ele. Por isso você vai ter que continuar comprando jóias para mim, e colocar tudo na conta dele para sempre. Acostume-se com isso.
— O problema é que já me acostumei — disse ele gentilmente, enquanto deitávamos lado a lado, seu braço me enlaçando no escuro. Àquela altura, eu estava feliz por ele ter voltado e começava a perceber o quanto havia sentido a sua falta. Ele dizia coisas para mim que Peter nunca iria dizer. — Eu iria realmente sentir a sua falta — disse ele com tristeza — se ele não me deixasse voltar outra vez.
— Não se preocupe com isso... vamos dormir um pouco — disse bocejando e, quando virou-se para seu lado da cama, me aninhei perto dele. Desta vez havia algo muito vulnerável em Paul, que de fato me tocou profundamente. E, cinco minutos mais tarde, ele já dormia a sono solto, enquanto eu estava deitada ao seu lado, pensando nas coisas que ele dissera e nas que eu estava sentindo. Tudo era terrivelmente confuso. Era como se eu estivesse dormindo com dois homens que se fundiam num só, sem saber exatamente onde começava um e terminava o outro. Era o preço que pagava por estar dormindo com um clone, um homem feito de *chips* de computador e fios. Porém havia mais em Paul do que os olhos podiam ver. Havia sempre o salto quádruplo para se pensar e as jóias. Eu ria para mim mesma enquanto adormecia abraçada a ele, feliz por Peter ter decidido mandá-lo.

Capítulo Oito

Durante os dias que se seguiram, eu me entreguei completamente. Fizemos as mesmas coisas que havíamos feito antes. Ficávamos na cama o dia inteiro enquanto as crianças estavam na escola. E adiei minha procura por trabalho para janeiro. Fazíamos saltos triplos toda noite e nos divertíamos bastante com as crianças no fim de semana. Inclusive as levamos para andar de patins no Rockfeller Center, quando ele vestiu uma roupa de pára-quedista de uma peça em tecido de fibra elástica azul-celeste, com imitações de diamante no colarinho. Era muito conservador da parte dele, mas Paul era um excelente patinador e todos no rinque o adoraram.

Ele finalmente foi ao escritório no meio de uma tarde, para tomar conta de algumas coisas para Peter. Ele ligara diversas vezes da Costa Oeste, e parecia ter vários problemas com os negócios. Desta vez não falei uma só palavra sobre Paul, ou sobre o fato de que ele estava comigo outra vez. Imaginei que ele soubesse ou então não quisesse saber, por isso guardei o segredo. E Paul estava me mantendo muito ocupada. Mas desta vez era diferente.

Eu me sentia torturada por estar amando a ambos, e até os presentes com os quais Paul me cumulava me deixavam desconfortável, especialmente por saber que quem pagava era Peter. Mas naquele dia, quando ele saiu para o trabalho, liguei para o psiquiatra que me atendera rapidamente quando Roger me deixou. O doutor parecia surpreso por estar falando comigo. Fazia quase dois anos que não o procurava e imagino que devia ter pensado que que me suicidara, ou voltara para Roger, ou tivesse encontrado alguém novo para me torturar. Tive sorte. Ele havia acabado de ter uma das consultas canceladas e disse que poderia me receber em meia hora se eu pudesse chegar lá rapidamente, o que prometi fazer.

Seu consultório não mudara muito em dois anos. O sofá no qual me sentei, encarando-o, parecia um pouco mais surrado, e os quadros na parede pareciam um pouco mais depressivos. Ele havia perdido mais cabelo e o tapete parecia puído. Tirando isso, o local estava tinindo. E ele pareceu feliz em me ver. Depois das amenidades iniciais, decidi ir direto ao ponto. Estava me sentindo completamente confusa em relação a Peter e Paul. Estava mais apaixonada por Peter do que nunca. Ele era tudo o que sempre quis, e nos dávamos muito bem quando ele estava por perto. Mas quando não, eu ficava presa a esse relacionamento doido com Paul, meu amigo imaginário, como ele se chamava agora, mas o problema era que não o era. Tornava-se mais real a cada dia, e eu tinha com ele uma intimidade que realmente me assustava. Por isso é que fui ver o Dr. Steinfeld.

— E então, Stephanie, o que a traz aqui? — perguntou gentilmente o Dr. Steinfeld. — Você não voltou para Roger, voltou?

— Oh, Deus, não. — De fato, Charlotte acabara de me dizer que ele e Helena iriam ter um bebê, e o mais engraçado era que eu nem ligava. Eu sempre pensara que, se isso acontecesse, iria ficar com raiva. Mas estava muito ocupada fazendo o salto quádruplo com Paul e sentindo a falta de Peter para me importar com o bebê de Roger e Helena.

— Não, é outra coisa. — Eu não queria perder nem um segundo de minha hora contando a ele sobre Helena e o bebê.
— Estou envolvida com dois homens, e isso está me levando à loucura. Não, não são dois realmente, é um. Mais ou menos.
— Subitamente percebi que não seria fácil, enquanto o Dr. Steinfeld olhava para mim com interesse.

— Você está envolvida com um homem ou dois? Não estou certo de estar entendendo. — Engraçado, eu também não estava me entendendo. E ele parecia quase tão confuso quanto eu.

— Um é de verdade. O outro é imaginário. Exceto que com este eu tenho relações sexuais fantásticas. Ele só aparece quando o outro está longe. De fato, o homem verdadeiro o manda para mim. — O Dr. Steinfeld balançava a cabeça e olhava para mim fascinado. Eu havia claramente me tornado mais interessante e muito mais neurótica do que eu jamais pensei que poderia ser.

— E como é a sua vida sexual com o... hã... verdadeiro?

— Excelente — disse com uma certeza tranqüila, ao que ele balançou a cabeça.

— Fico feliz em ouvir. E o segundo homem é apenas uma fantasia? Qual? Pode me dizer. Eu sei que confia em mim.

— Ambos, de fato. Sei que isso vai lhe parecer uma loucura, Dr. Steinfeld. Mas o segundo homem, Paul, é realmente o clone do primeiro. Seu nome é Peter.

— Você quer dizer que eles se parecem muito? São gêmeos?

— Não, quero dizer que eles são a mesma pessoa. Paul é o clone de Peter, mais ou menos. Peter trabalha com engenharia biônica, fez algumas experiências bastante incomuns e eu o amo.
— Pequenas gotas de suor apareceram na testa do Dr. Steinfeld.

De fato, isso não era fácil para nenhum de nós dois, e eu estava quase arrependida de ter vindo.

— Diga-me, Stephanie, você vem tomando algum remédio? Talvez esteja se automedicando? Você sabe, algumas drogas têm sérios efeitos colaterais e podem produzir alucinações.

— *Não* estou tendo alucinações. Paul é o clone biônico de Peter, e Peter o mandou para mim quando saiu da cidade. Dormi com ele durante duas semanas no outono e agora está tudo recomeçando. Sinto-me completamente maluca. Estou sempre mais apaixonada por aquele com quem estou no momento... tirando o fato de que sempre estou amando Peter. Ele é o verdadeiro.

— Stephanie — disse ele então com firmeza —, você ouve vozes de vez em quando? Mesmo quando não está com ele?

— Não, não ouço vozes, doutor. Estou dormindo com dois homens e não sei como lidar com isso.

— Então está claro. Ambos são homens *de verdade*, Stephanie? Quero dizer seres humanos, como eu e você?

— Não — disse cautelosamente —, um deles não é. Paul está aqui no momento, pois Peter está viajando. Ele o mandou para mim.

O Dr. Steinfeld calmamente coçou a sobrancelha e continuou a olhar para mim, enquanto eu desejava estar em qualquer parte do planeta, menos em seu consultório.

— Será que Paul está aqui dentro conosco agora? — perguntou ele cuidadosamente. — Você pode vê-lo?

— É claro que não.

— Isso é bom. Você se sente abandonada quando Peter viaja? Você precisa preencher esse espaço com alguém, talvez uma pessoa imaginária?

— Não, eu não o invento por me sentir rejeitada. Peter o manda para mim.

Klone e eu

— Como ele o manda para você? — Num OVNI, talvez. Mas, àquela altura, ele obviamente esperava algo como isso vindo de mim. Tudo era em vão.

— Paul sempre chega com cerca de quinze maletas de couro de jacaré púrpura da Hermès. Ele também tem um gosto bem excêntrico para se vestir, mas é uma companhia muito divertida.

— E quanto a Peter? Como é que ele é?

— Maravilhoso, conservador, inteligente, amoroso. É ótimo com meus filhos e sou louca por ele.

— O que ele veste?

— *Jeans*, camisas de botão, roupas de flanela cinzentas e um *blazer*.

— Isso não a decepciona? Você faz fantasias pensando que ele poderia ser mais parecido com Paul?

— Não, eu o amo do jeito que é. Ele é, de fato, mais *sexy* do que Paul, mesmo sem fazer esforço. Minhas pernas ficam bambas quando o vejo. — Ri só de pensar nisso.

— Isso é bonito, Stephanie. Muito bonito. E o que sente por Paul?

— Eu também o amo. Ele adora se divertir, e às vezes ele se comporta realmente mal. Mas ele também adora minhas crianças, é muito amável e incrivelmente bom de cama. Ele faz um movimento no qual dá saltos mortais no ar e depois aterrissa no chão, comigo em cima dele, e... — Podia ver que o Dr. Steinfeld estava rapidamente chegando à beira de um colapso nervoso e por isso senti pena dele.

— Saltos mortais no ar? Esse é o imaginário ou o real?

— Ele não é imaginário. É um clone. Um clone biônico. Tem fios. Mas é exatamente igual a Peter.

— O que acontece quando Peter retorna? Ele desaparece novamente ou você ainda o "vê"?

— Não, eles o levam de volta para a oficina, checam a fiação e arrancam sua cabeça.

O suor escorria pela face do Dr. Steinfeld e ele franzia o rosto para mim. Não tinha ido lá para torturá-lo, mas sim para me aliviar, o que obviamente não estava acontecendo. Para nenhum de nós.

— Stephanie, já pensou em tomar remédios?

— Como o quê? Prozac? Eu costumava tomar Valium. Você o receitou para mim.

— De fato eu estava pensando em algo mais forte. Algo um pouco mais adequado para o seu problema. Como Depakote, talvez. Já ouviu falar? Você andou tomando remédios desde que eu a vi pela última vez?

— Não.

— Foi hospitalizada recentemente? — perguntou de um jeito simpático, enquanto eu começava a entrar em pânico, pensando que estava a ponto de ligar para o Bellevue para me internar. Talvez lá fosse o meu lugar.

— Não. E sei que isso soa ridículo, mas está realmente acontecendo. Juro.

— Sei que você acredita nisso. Tenho certeza de que os dois parecem bem reais para você. — Podia ver em seus olhos que ele estava convencido de que eu havia inventado ambos e que estava completamente maluca, o que era verdade, mas não no grau que ele imaginava. Subitamente, comecei a detestar Peter por ele ter me colocado nessa situação a princípio. — Bem, nossa hora acabou, mas gostaria que seguisse esta receita e tomasse alguns remédios. Vou arrumar algum horário para você amanhã.

— Não tenho tempo. Eu e Paul vamos levar as crianças para fazer as compras de Natal.

— Estou vendo — disse, parecendo ainda mais preocupado. — Roger tem a custódia deles?
— Não, sou eu. — E, de repente, tudo o que eu queria fazer era rir enquanto olhava para ele. O doutor ficou muito consternado com o que eu acabara de lhe dizer. Só gostaria que ele tivesse visto Paul vestido de lamê dourado ou prateado, ou em tons púrpura-marrom, verde-amarelado, rosa-shocking ou púrpura brilhante. A roupa de pára-quedista de leopardo também funcionaria, assim como o terno de veludo laranja que usou no jantar da noite passada. O Dr. Steinfeld iria amá-lo. E ele teria entendido o motivo de eu estar tão confusa.
— Sente dores de cabeça, Stephanie? Das fortes?
— Não, doutor — respondi, sorrindo para ele. Levantei-me então e ele pareceu profundamente preocupado. — Lamento que tudo isso seja tão confuso.
— Logo resolveremos isso. Você vai se sentir bem melhor com a medicação. Vai demorar algumas semanas para fazer efeito, por isso é muito importante que comece a tomá-la desde já. Quero que me ligue amanhã para marcar uma nova consulta.
— Eu o farei — disse e praticamente passei voando pela porta antes que ele pudesse me comprometer.
Peguei um táxi, fui para casa e encontrei Paul brincando com as crianças. Ele já estava em sua segunda garrafa de uísque, e tudo o que eu podia fazer era olhar para ele e balançar minha cabeça, assim como o Dr. Steinfeld.
— Você está bem? — perguntou ele alguns minutos depois, quando veio ver o que eu fazia para o jantar.
— Não, eu te detesto — e, naquele exato momento, era exatamente o que eu queria dizer. — Fui ver meu velho terapeuta à tarde e, graças a você e àquele lunático que o mandou aqui, eu o deixei convencido de que estou completamente maluca.

— Não lhe disse que não é "você", que somos nós?
— Bem que tentei. Mas acho que ele está certo. Acho que isso é contagioso.
— O que ele lhe disse para fazer? — perguntou Paul com interesse.
— Tomar remédios para minhas alucinações. Eu disse que você era um clone e ele me perguntou se você estava comigo no consultório naquele momento. Bonito, né?
— Muito. Acredite em mim, se eu estivesse lá ele saberia.
— Não brinque. — Ele estava vestindo calças de veludo zebrada e uma camisa preta de cetim aberta até a cintura, para mostrar o sinal da paz. — Ele deveria ter ouvido você, não simplesmente vê-la. — Paul me deu uma olhada. Ele ouviu algo em minha voz. Eu simplesmente não estava a fim de aturar suas atitudes. Pela primeira vez, estava de fato enojada com as roupas extravagantes que ele usava, o jeito dele beber e de me levantar do chão depois do salto duplo mortal. Eu realmente sentia falta de Peter.

E depois do jantar, quando Peter me ligou, levei o telefone para o banheiro a fim de poder conversar em particular.

— Como é que vão as coisas?
— Bem, obrigada. Estou completamente maluca.
— As crianças estão dando trabalho?
— Não, são vocês. Ambos — disse e instantaneamente ele entendeu o que eu estava dizendo.
— Ele está aí outra vez? — Parecia surpreso e nada feliz com isso.
— Como se você não soubesse. Não foi você quem o mandou?
— Não dessa vez. Achei que você ficaria bem sem ele, já que estava tão ocupada.

Klone e eu

— Então como é que ele chegou aqui? — Pela primeira vez eu não estava certa de que devia acreditar nele. Agora era demais.
— Honestamente, Steph, não sei. Mas se ele a estiver perturbando, simplesmente mande-o embora. Vou pedir para que o peguem amanhã. Eles vão levá-lo de volta para a oficina e arrancar sua cabeça.
— Não — respondi muito rapidamente. — Ele pode ficar até você voltar. — Apesar de toda a loucura que representava sua estada, eu desejava que ele ficasse, mas não queria admitir isso para Peter.
— Você quer que ele fique aí? — perguntou, parecendo magoado.
— Não sei mais o que quero. Esse é o problema. — Essa era exatamente a verdade.
— Estou vendo.
— Oh, pelo amor de Deus, você fala como se fosse o Dr. Steinfeld.
— Quem é esse? — Era a primeira vez que Peter ouvia falar dele.
— Um terapeuta que adoraria que eu me comprometesse com um tratamento. É tudo sua culpa. Por que você não pode simplesmente viajar e me deixar sentir saudades, como as pessoas normais? Em vez disso, me mandou um maldito clone para tomar conta de mim e me deixar maluca. — De repente, fiquei chateada com isso. Tudo era muito desalentador. E era culpa de Peter, não importava o quanto eu o amasse.
— Pensei que você iria gostar dele.
— Eu gosto.
— Talvez demais. É isso que está dizendo? — Ele aparentava estar quase tão magoado quanto eu, e mais do que simplesmente enciumado.

— Não sei o que estou dizendo. Talvez ambos sejamos loucos.
— Vou tentar voltar antes. — Ele parecia genuinamente preocupado.
— Talvez nós três devêssemos viver juntos. E, por falar nisso, Helena vai ter um bebê.
— Isso a está realmente incomodando?
— Talvez. Não, acho que não. Mas as crianças estão magoadas com isso. Elas a odeiam. E a idéia de um bebê.
— Lamento, Steph.
— Não, você não lamenta. — De repente eu estava chorando e ouvi Paul no quarto ao lado com as crianças. — Ele é um alcoólatra, pelo amor de Deus, e se eu vir aquela maldita calça de zebra outra vez, vou ter um colapso nervoso. Talvez eu esteja tendo um agora. Como é que isso foi acontecer comigo?
— Era tudo culpa dele e eu queria detestá-lo por isso. Mas não. Ainda o amava. E sabia que meus filhos também gostavam dele. Até Charlotte, embora ela detestasse admitir. E Sam vinha sendo seu seguidor fiel há meses, mais do que nunca depois que Peter salvou a pátria quando Roger o deixou na mão no Halloween.
— Era apenas uma experiência, isso é tudo. Não a leve tão a sério. — Ambos parecíamos pessoas insanas, mas, graças a Deus, o Dr. Steinfeld não podia nos ouvir.
— Não levar a sério? Ele está morando aqui, eu estou apaixonada por você, e às vezes não consigo nem distinguir quem é quem. Quando está no banho ele parece com você. Quando se veste, parece com o maldito Elvis Presley.
— Eu sei. Eu sei... tentamos corrigir isso, mas ele não deixou.
— Suspeitava que ele não queria me perguntar como eu havia visto Paul no chuveiro, mas era fácil imaginar o que estava acontecendo entre nós, de tudo que eu lhe contara. Além do mais,

eu imaginava que, mais do que qualquer um, Peter conhecia Paul muito bem.

— Ele acha que devemos nos casar. Pode imaginar isso? Ele é mais doido do que você. — Eu chorava copiosamente então e, do outro lado da linha, havia um profundo silêncio. — Não se preocupe. Eu lhe disse que nenhum de nós era doido o suficiente para fazer isso.

— Fico feliz em ouvir — foi tudo o que ele finalmente disse, soando, em parte, indiferente.

— Eu também. Talvez eu deva abandonar vocês por um tempo e tentar recuperar minha sanidade. — Eu estava melhor sozinha, na frente da TV, vendo reprises de seriados. Pensava que tinha uma vida real com Roger antes disso, mas mesmo essa explodiu em minhas mãos. Agora veja o que arranjei. O homem biônico e o Dr. Frankenstein, o cientista louco. Estava tão magoada que me sentei onde estava e chorei.

— As férias são difíceis para todo mundo, Steph. Você está apenas magoada. Tente relaxar. Eu logo vou estar em casa e ele vai voltar para a oficina. Se quiser, posso mandar desmembrá-lo.

— Isso é uma coisa terrível para se fazer. Além do mais, gosto dele. — O que nos trouxe de volta para o começo. Eu amava Peter, mas não queria perder Paul. Era uma situação insana.

— Tenha calma. Vá deitar um pouco. Ele está dormindo no quarto dos hóspedes, não está?

— Sim, claro. — Seu tolo, queria dizer para ele. O que você acha? Ele não foi feito para dormir no quarto de hóspedes de ninguém. — Eu te amo — disse desesperadamente.

— Eu também te amo. Vou ligar pela manhã.

Ele desligou então e, naquela noite, tudo se repetiu. Eu não podia resistir a ele. Saltos quádruplos e sexo fantástico. Luz de velas, massagens e óleo perfumado. E, quando amanheceu, eu ainda estava acordada e, de tão confusa, odiava os dois. Queria que Peter voltasse para casa, que o clone ficasse, e nunca mais ver nenhum dos dois outra vez. Tudo bem se eu não desse mais outro salto duplo ou triplo outra vez, e se nunca mais quisesse outra jóia. Eu queria ficar com tudo e me livrar de tudo e, quando finalmente adormeci, estava sonhando com Peter. Ele estava em pé ali, olhando para mim, com um braço em volta de Helena, enquanto Paul simplesmente estava vestindo aquela maldita calça de zebra outra vez e rindo de mim.

Capítulo Nove

Lá pelo fim da segunda semana com Paul ao meu lado, eu estava mais confusa do que nunca, mas, apesar disso, sempre parecia que estávamos nos divertindo muito juntos. Fomos a todas as festas de Natal que eu deveria ir, e apesar de uns pequenos deslizes, ele de fato se comportou muito bem. Tentei fazer com que me deixasse escolher suas roupas, mas, evidentemente, isso era pedir muito. Ele havia comprado um terno prateado com bolas de Natal penduradas por todo o paletó, enquanto a calça era coberta por pequenas luzes coloridas. Ele o considerou incrivelmente festivo, e a anfitriã da primeira festa à qual fomos achou sua brincadeira encantadora. Mal sabia ela que sua intenção era exatamente essa, e ele achava que havia promovido o marco da moda na estação.

Paul devorou todas as entradas, comeu todo o caviar e, quando o que tinha acabou, colocou os peixes ornamentais da casa em seu drinque e os engoliu também. Não creio que alguém tenha notado, mas eu notei, e por esse motivo saímos antes que ele pudesse perder seriamente o controle ou magoar a anfitriã mais do que já o havia.

A segunda festa foi oferecida por velhos amigos meus que haviam conhecido Peter. Eles cantaram canções de Natal, serviram um fabuloso bufê e insistiram em brincar de charadas depois da ceia na sala de estar. Fiz uma cuja solução era... *E o vento levou*, e ninguém a adivinhou, o que deve ter enchido a cabeça de Paul de idéias. Por ter escolhido uma única palavra, das "pequenas", ele gesticulou e só precisei de uns poucos segundos para perceber que a palavra que havia escolhido era *peido*. Imagine o que aprontou para fazer com que as pessoas a adivinhassem. Saímos da festa um pouco cedo naquela noite, mas, apesar das minhas desculpas, o casal anfitrião me garantiu que Paul havia sido um sucesso, particularmente entre seus filhos. Ambos disseram que ele parecia bem mais "sociável" do que na primeira vez em que o viram e que era de uma natureza realmente solta. Prestando bastante atenção nele, podia dizer que concordava em gênero e grau. Mas estava furiosa com ele por causa de seu comportamento extravagante, e deixei isso bem claro depois que saímos do apartamento.

— Foi um pouco demais, você não acha? — Eu o repreendi no táxi que nos levou para casa. Não me diverti nem um pouco.

— O quê? As canções de Natal? Não, acho que elas foram legais.

— Estou falando do que fez quando estávamos brincando de charadas. Eles estavam querendo que a gente adivinhasse nomes de filmes, Paul. E eu nunca ouvi falar de um filme chamado *Peido*.

— Não seja tão careta, Steph. Eles adoraram. Todo mundo riu. Foi tão fácil, eu não pude resistir. De qualquer maneira, a culpa foi deles. Eles não deviam ter servido feijões no bufê. Não há nada de natalino em feijões — disse ele trivialmente.

Klone e eu

— Ninguém o forçou a comê-los. Você me envergonhou.
— Mas, tão logo eu disse isso, ele pareceu ficar arrasado.
— Está zangada comigo, Steph? — Só de olhar para ele naquele terno de bolas de Natal, com as luzes da calça piscando, balancei a cabeça. Como eu podia estar chateada? Ele era tão afetuoso e tão tolo.
— Acho que não, mas devia. — O pior de tudo era que, tão irritante quanto isso podia ser, eu sabia que iria sentir falta dele assim que partisse. E esse dia estava chegando. Só nos restavam uns poucos dias. Havia algo nele que sempre me prendia, e eu sabia que não era o seu guarda-roupa e nem o salto duplo. Havia algo tão essencialmente decente nele, tão inocente e tão amoroso. Era dolorosamente difícil resistir a ele. E eu não podia.
— Eu te amo, Steph — disse ele, me amassando um pouco mais dentro do táxi. — Quem dera eu pudesse passar o Natal com você. — Eu queria lhe dizer que não gostaria, mas isso não seria verdade. Houve momentos em que eu queria ficar para sempre ao seu lado, mesmo com suas roupas malucas e seu comportamento extravagante. Não era fácil levá-lo para festas e, ainda assim, quando estávamos sozinhos, éramos sempre muito felizes.

Ele ficou com tanto remorso por ter me magoado naquela noite que sugeriu que parássemos no Elaine's para tomar um drinque. Este sempre fora um dos meus lugares favoritos para ir com Roger e não ia lá desde que ele me deixou. Mas gostei da idéia e, após hesitar por um minuto, concordei em ir com ele.

O táxi nos deixou na esquina e ele me abraçou enquanto andávamos na direção do Elaine's. Como sempre, havia uma multidão enorme e animada no bar. Imediatamente, Paul pediu um uísque duplo e uma taça de vinho branco para mim. Eu realmente não queria nada, mas era bom estar lá e, apesar do terno ridículo que ele usava, eu estava feliz em estar ao seu lado. E além do mais, a clientela do Elaine's era excêntrica o suficiente para que eu concluísse que ele podia estar lá sem atrair muita atenção. Não era tão difícil como ir a um lugar como o "21" com ele.

    Eu já havia tomado o primeiro gole do meu vinho, quando me virei e subitamente me vi encarando Helena numa saia justa de veludo vermelho, com um friso de pêlo de coelho branco ou de qualquer outro bicho parecido, espalhando nuvens brancas por todos que estavam perto dela no bar. Bem mais impressionante do que o pêlo que ela jogava para todo lado era o tamanho do decote do vestido. Tudo que eu podia fazer era admirar seu enorme busto, tão impressionante que desviava qualquer um completamente de notar sua barriga sempre tão rígida. E, ao voltar os olhos para cima, vi Roger me olhando enquanto eu a observava, parecendo nem um pouco relaxado, quando então fitou Paul. De repente, as bolas no paletó de Natal pareceram maiores do que nunca e, mesmo no meio da multidão do bar, as luzes em sua calça pareciam que o estavam cercando com uma espécie de brilho.

    — O que é isso? — disse Roger sem qualquer preâmbulo, olhando-o estupefato. Ele sabia sobre Peter pelas crianças, mas nada que elas disseram o havia preparado para o que ele viu.

    — Este é Paul... quero dizer, Peter — disse calmamente, coçando um pouco do pêlo do vestido de Helena que se perdeu no meu nariz.

    — Isso é que é uma fantasia — disse Roger expressamen-

Klone e eu

te, o que Paul tomou como um elogio. Mas eu conhecia Roger melhor do que ele e vi facilmente que estava estarrecido.

— Obrigado, é um Moschino — explicou Paul com prazer, sem ter idéia de quem era Roger, e muito menos Helena. — Eu geralmente uso Versace, mas não pude resistir à idéia de usar isto nas festas. — Que tipo de pele é essa? — perguntou ele, olhando para o decote de Helena, para depois virar-se para mim com um sorriso. — Amigos seus?

— Meu ex-marido e sua esposa — disse concisa, para depois voltar-me para minha sucessora. Tinha que ser gentil pelo bem das crianças, ou talvez pelo de Roger. — Oi, Helena. — Ela me deu um sorriso nervoso e depois disse a Roger que ia colocar um pouco de base no nariz. Desapareceu dentro da multidão numa nuvem de pêlo branco, enquanto Roger sorria para o homem que pensava ser Peter. Ele realmente teria um momento complicado se soubesse que Paul era um clone.

— As crianças me falaram de você — disse Roger vagamente, enquanto Paul concordava e dizia que iria ver se arrumava uma mesa para nós. No momento seguinte, Roger e eu ficamos sozinhos pela primeira vez em muito tempo. — Custo a crer que você fosse capaz de sair com um sujeito que se veste desse jeito — disse ele abruptamente.

— Pelo menos não me casei com a Senhorita Noel. Pensava que você fosse alérgico a peles. — Ou talvez ele só fosse alérgico às minhas camisolas de flanela e aos pêlos em minhas pernas.

— Isso é impertinente — disse ele com arrogância. — Ela é a mãe do meio-irmão ou da meia-irmã dos seus filhos — disse friamente, parecendo-se exatamente com o homem que eu viera a odiar, no fim das contas.

— Estar casada com você e grávida não a faz alguém respeitável, Roger. Só faz com que seja tão pateta quanto eu fui. Até agora, pelo menos. Aliás, sobre o que vocês conversam? Ou será que falar é incômodo?

— O que você faz com ele vestido naquele terno? Canta *Deck the Halls*?

— Ele é bom para nossos filhos. Isso conta muito. — E era muito mais do que eu podia dizer sobre Helena, mas não falei nada para ele. Não havia como provar, mas as crianças ainda diziam que, sempre que iam visitá-los, ela nem sequer lhes dirigia a palavra, e mal podia esperar para que fossem embora no fim da tarde de domingo. Eu tinha certeza de que Roger também sabia disso, e me perguntava o que ele sentia em relação a essa situação e quão pior ela poderia ficar depois que nascesse o bebê deles. Mas isso era outra história, e não algo que pudesse ser resolvido no Elaine's. Lamentava ter vindo aqui e deparado com eles. Roger não aparentava estar nem um pouco melhor do que quando me deixou dois anos antes. De fato, parecia muito mais cansado, um pouco mais velho e extremamente entediado. Helena não era nenhuma intelectual, mas eu tinha que admitir que ela era admirável e *sexy*, e que seu decote era bastante chamativo, frisado ou não com pele de coelho. Não dava para ver que estava grávida, mas suspeitava que seus seios estavam maiores do que na última vez em que os vi.

— Você está bem? — perguntou ele subitamente, com um olhar melancólico, e o odiei por isso. Não queria que ele fosse humano e, mais do que nunca, não queria que ele lamentasse o fato de eu estar saindo com um clone coberto de luzes que piscavam e bolas natalinas.

Klone e eu

— Estou bem, Roger — disse calmamente. Mas, no momento em que dizia isso, não tinha muita certeza. Amava um homem dos mais incomuns que estava na Califórnia tocando estranhos projetos científicos que eu não entendia e que não tinha nenhuma vontade de se casar. E, na sua ausência, estava dormindo com seu clone. Isso não apenas era complicado de se explicar para Roger, como também um pouco díficil de eu mesma engolir. Enquanto pensava nisso, Paul voltou.

— Conseguimos uma mesa — disse ele com orgulho enquanto tomava um gole do meu vinho, mas tudo que eu queria fazer era ir para casa. Podia ver Helena se aproximando, seguida por uma pequena nuvem de pêlos voadores.

— Foi bom encontrar vocês — eu disse educadamente a Roger. — Feliz Natal. — E, com isso, larguei minha taça de vinho e saí do bar com Paul. Passamos por Helena no caminho, e pude sentir seu perfume. Era um que eu havia usado dez anos atrás e sabia que Roger o havia comprado para ela, pois era um que eu realmente adorava. Ele era dela agora e eles tinham sua própria vida. Iriam ter um bebê e, não importava que besteiras eu fizera na minha vida, isso não era problema dele, e talvez nem mesmo de Peter ou de Paul.

Disse a Paul que queria ir embora e ele pareceu ter ficado desapontado a respeito da mesa, mas podia ver em meus olhos que algo estava errado. Ele me acompanhou na saída e olhou para mim no meio do ar congelante da noite enquanto eu respirava fundo, mais para me livrar da visão e do cheiro de Roger e do perfume e das peles de Helena.

— O que aconteceu?

— Não sei — disse, tremendo no ar de dezembro, enquanto a neve começava a cair. — Eu não esperava vê-los... ela é uma típica loura burra e ele é louco por ela. — Eu me senti nua e vulnerável, e a saia vistosa e o cabelo dourado não serviam de consolo. A verdade é que ele não havia me amado. E, pelo menos agora, ele a amava. Eu não o queria mais, esse não era o problema, e eu não o receberia de volta mesmo se ele me pedisse, mas tudo isso ainda servia para esfregar novamente todos os meus sonhos arruinados na minha cara.

— Não fique assim, Steph — disse Paul docemente. — Ela é um grande zero à esquerda. Seus seios nem são reais... e que vestido horroroso! Você é dez vezes mais atraente do que ela. Acredite em mim. E quem quer uma mulher com aquele gosto? — Enquanto ele dizia isso, sua calça piscava e brilhava, e as bolas de Natal do paletó dançavam no meio da brisa. Mas, de algum modo, o seu olhar me tocava profundamente, um de seus braços me envolvia, e o outro chamava um táxi. E, enquanto entrávamos no veículo, ele gentilmente enxugou minhas lágrimas.

— Esqueça-os. Vamos para casa acender algumas velas. Vou fazer-lhe uma massagem. — E, pela primeira vez, isso soava exatamente como o que o doutor mandou. Eu estava quieta no táxi, ainda abalada com o encontro, e Paul foi gentil e compreensivo enquanto subíamos as escadas.

Paguei a babá e fiquei aliviada ao ver que as crianças haviam ido para a cama cedo e estavam dormindo. E, naquela noite, foi surpreendentemente relaxante deixar Paul me massagear e, finalmente, me deixar ser transportada pela sua paixão gentil e um salto duplo muito modesto.

Senti-me mais próxima de Paul depois disso, pois ele me fizera superar um momento difícil, no qual vi Roger com Helena, e restaurou um pouco da minha auto-estima. Fomos ver

Klone e eu

o *Quebra-nozes* com as crianças naquela semana. Paul foi vestido como café turco. Fez uma dança exótica na passagem entre as fileiras e tentou fazer com que eu o acompanhasse. E, quando levamos Sam para ver Papai Noel, Paul sentou em seu colo depois que meu filho o fez. Também comprou lindos presentes para Charlotte e para Sam. A seu jeito, ele fazia um monte de coisas da maneira certa. E estar com ele me fazia lembrar de tudo o que Peter não era. Era como se alguém houvesse programado Paul para fazer as coisas que Peter não faz para mim. Os presentes, o tempo que passava comigo, seu espírito infantil que aflorava quando brincava com Charlotte e Sam. A ternura interminável que ele demonstrava por mim. Era impossível resistir a ele, e mais difícil ainda não amá-lo. E por trás de todos os absurdos e de seu comportamento inadequado, ele era um homem muito bom. Ou, como devo dizer, um bom clone. Peter fizera um trabalho extraordinário quando o desenvolveu.

Peter me ligava duas ou três vezes por dia da Califórnia. E não conseguia deixar de fazer perguntas sobre Paul. Ele queria saber o que estávamos fazendo, o que Paul dizia, o que ele colocava em sua conta, e se estava dirigindo o Jaguar. Eu não ia lhe dizer que ele o estava guiando mas, no fim das contas, tive de fazê-lo quando ele se envolveu em outro acidente na rodovia. Nevava naquela tarde e a estrada estava coberta de gelo. E quando falou sobre o que aconteceu, fiquei feliz por ter proibido as crianças de passearem de carro com ele. Paul dirigia cantando sozinho e escutava os CDs de Peter, cuja maior parte detestava, embora gostasse do da Whitney Houston que eu lhe dera. E, enquanto cantarolava na estrada, ele aparentemente cochilou, saiu com o carro da pista e bateu num monte de neve que estava num dos acostamentos. O carro ficou ali suspenso por um momento interminável, enquanto Whitney continuava cantando, para depois deslizar lentamente para dentro da água rasa da margem do East River. O veículo ficou ali afundado pela metade durante quase duas horas enquanto Paul esperava o reboque. Ele disse que isso havia sido ruim para a forração dos bancos e que os tapetes estavam encharcados quando o carro foi finalmente içado. Paul receava de que o carro fosse precisar de um novo motor e esperava que Peter não fosse se importar muito.

Liguei para Peter, contei o que aconteceu e ele simplesmente gemeu, para depois se lamuriar lamentavelmente quando lhe disse quanto custaria o conserto.

— Só não o deixe repintá-lo outra vez — foi tudo que Peter disse antes de desligar.

— Como vai ele? — perguntou Paul, parecendo preocupado, quando lhe falei o que Peter dissera sobre o Jaguar.

— Irritado — expliquei, mas estava preocupada com Paul. Depois de seu breve mergulho no East River, ele estava ficando muito resfriado. — Ele vai ficar legal — disse gentilmente. E depois lhe contei as más notícias. — Ele está voltando amanhã.

— Já? Dois dias antes? — Paul parecia arrasado. Ele havia planejado passar o resto da semana comigo, antes que Peter voltasse da Califórnia.

— Ele disse que tem uma reunião à qual não pode faltar. — Mas suspeitava que havia outros motivos, e não era só o carro. Tinha a impressão de que ele não queria mais que Paul ficasse comigo. E podia ver que Paul estava magoado.

Dormimos tranquilamente naquela noite. Eu o envolvi com cobertores por causa do resfriado, e lhe dei vários copos de Toddy

Klone e eu

quente. E toda vez em que eu o beijava ele espirrava e seu nariz ficava vermelho. Mas, por mais doente que ele ficasse, eu sabia que o Jaguar estava muito pior. E então, quando deitei na cama ao seu lado, ele se virou para mim com um ar sério e incomum. Parecia ter muitas coisas pairando em sua cabeça, enquanto aparentava estar infeliz e descaracterizado.

— O que aconteceria se eu ficasse aqui? — perguntou, parecendo preocupado, no que eu sorri. Talvez ele tivesse batido com a cabeça no Jaguar.

— Será que devo lembrá-lo de quem você é, ou se esqueceu? — Beijei-o gentilmente, enquanto ele largava seu copo na mesa-de-cabeceira ao lado da cama, para depois olhar para mim, preocupado.

— Quero dizer depois que Peter voltar. O que aconteceria se eu lhe dissesse que estava ficando e não iria voltar para a oficina? — Era a primeira vez na qual ele dizia algo como isso.

— Você pode fazer isso? Será que eles deixariam? — Só de ver a ternura em seus olhos, fiquei atordoada e um pouco preocupada.

— Posso tentar. Não posso deixar você, Steph. Meu lugar é aqui. Eu te amo... somos felizes juntos. Você precisa de mim. — Eu precisava, mais do que jamais havíamos planejado, talvez bem mais do que pudesse admitir, mas a verdade era que também precisava de Peter, muito mais do que eu amava ou precisava de Paul. Fui capturada pelos bons momentos que novamente tivemos, mas, nos últimos dias, havia pensado muito sobre a volta de Peter. Era ele quem estava encravado no fundo do meu coração. Paul era a diversão, a vida, o espírito, a gargalhada. Mas Peter era dono de uma parte de minha alma. Só vim a entender isso mais tarde. Necessitava de mais coisas na minha vida do que um salto quádruplo e algumas horas divertidas. Precisava da solidez de Peter, sua força, seu jeito mais calmo para me sustentar e alimentar os meus pedaços que Roger deixara famintos por tanto tempo, possivelmente para sempre.

— Não sei o que dizer — disse honestamente enquanto estávamos ali deitados. — Eu te amo, Paul. — Depois percebi que tinha de ser honesta com ele. — Mas talvez não o suficiente. Teríamos que superar muitas coisas. Não é fácil viver com um clone. Seríamos segregados pela sociedade se nosso segredo fosse descoberto. As coisas poderiam ficar muito difíceis. — Isso era verdade e ambos sabíamos. Havia pensado muito nisso. E não é que sua oferta não fosse tentadora. Não havia dúvida, ela o era. Mas com Peter, se ele ao menos me permitisse, eu poderia ter uma vida verdadeira. Com Paul eu sabia que não poderia.

— Eu me casaria com você, Steph — disse ele, sussurrando gentilmente, e só o fato de ouvir aquelas palavras significava muito. — Ele não. — Enquanto Paul dizia isso, eu sentia que Peter se acostumara a viver por conta própria. Embora soubesse que me amava, seu medo de se comprometer era de fato mais forte que seu amor.

— Sei disso — respondi. — Mas o amo de qualquer maneira. Nem sequer tenho certeza se isso importa. Já passei por isso. Fui casada com Roger e, de qualquer maneira, tudo deu errado. O casamento não é uma garantia — disse sabiamente, pois sabia do que estava falando, mais do que Paul —, tudo que ele representa é uma promessa, um ato de fé, um símbolo de esperança. — Isso era muito, eu tinha que admitir, mas também sabia que não era uma troca justa. Sempre havia um que amava e outro que forçava a separação, mais cedo ou mais tarde.

Klone e eu

— Isso é o que você quer. Nunca vai receber isso dele. Se tivesse que optar, ele preferiria que eu casasse com você. Você não acha que, se realmente a amasse, ele me deixaria aqui sempre que viajasse, para te massageá-la, amá-la levar você às festas e jantares, ensinar-lhe o salto duplo? Ou até mesmo o quádruplo?

— Talvez não — disse com tristeza. — Mas isso não muda o que sinto por ele.

— Você foi uma tola com Roger. Não seja tola duas vezes.

— Ele me implorava e eu não suportava olhar para ele.

— Pode ser muito tarde para isso — admiti. — Já sou uma tola no que diz respeito à relação com ele.

— Poderíamos ter uma vida maravilhosa, Steph, se você estivesse disposta a tentar. — Mas a verdade era que eu não estava. Por mais que o amasse, não poderia confiar minha vida a um clone, não inteiramente, não importa quão fascinante ele fosse ou quão divertido. Ainda havia muitas coisas que ele não tinha. Eu não poderia passar o resto da vida com um homem que fazia charadas e valorizava a palavra *peido* num jantar festivo. — Você está perdendo a oportunidade de uma vida, Steph. Iria causar inveja em todas as suas amigas.

— Eu já estou — disse gentilmente. — Você é o maior. — Depois eu suspirei e decidi contar-lhe a verdade. — Acho que vou deixá-lo, Paul — disse com tristeza, enquanto as lágrimas já enchiam meus olhos. E quando as viu, Paul pareceu chocado. Deu-me um lenço de papel e assoou seu nariz também. Ele chorou facilmente, o que eu sabia que era apenas uma falha em um de seus fios, mas ainda assim me senti comovida.

— Quando? — perguntou.

— Logo. Provavelmente depois das férias. — Pensara nisso por dias mas não queria lhe dizer nada. Achava que devia falar com Peter primeiro. Parecia simplesmente justo. Mas isso também teria implicações para Paul. Significava que ele não iria mais voltar para me ver. Como poderia? Se eu desistisse de Peter, inevitavelmente perderia Paul. Era uma decisão dura para tomar e eu ainda não havia me decidido totalmente. Mas sabia que estava amando muito Peter, e estava muito envolvida com Paul. Ambos eram de algum modo viciantes, particularmente em série. Mas a situação era simplesmente muito insana. Eu não podia ficar dormindo com ambos. E, por mais que amasse Peter, sabia que isto estava errado. Eu não poderia ficar com ele, para depois morar com Paul sempre que viajasse. Mesmo se eles não tivessem escrúpulos em relação a isso, eu tinha. E também tinha filhos nos quais pensar. Desta vez as coisas haviam sido muito loucas. Eu estava totalmente confusa.

— Você tem certeza, Steph?

— É claro que não — disse, enquanto lágrimas frescas rolavam pela minha face. — Como posso deixá-lo? Ele é maravilhoso e eu o amo muito. — Mais do que eu nunca poderia dizer. Mas que sentido havia em levar as coisas dessa maneira? Eu não poderia encarar o futuro vendo-o ir e voltar, me enlouquecendo com o que nunca poderia vir a acontecer, e me consolando com Paul. Mesmo que ele não entendesse como isso era errado, eu entendia. Afinal de contas, embora eu não o tivesse dito a ele de forma tão rude, ele era apenas um clone. E Peter era apenas um homem. E toda essa trama leviana havia sido idéia dele. Obviamente essa situação lhe era muito cômoda e tirava grande parte da pressão das suas costas. Ele podia ficar comigo enquanto estava em Nova York, quando quisesse, e sempre que quisesse viajar havia Paul. Para ele, este era o arranjo perfeito. Seria quase mais fácil conviver com suas viagens para a Califórnia, não importava quão freqüentes fossem, e ficar sozinha com meus filhos.

— Não faça nada precipitado, Steph — insistiu Paul enquanto nos preparávamos para dormir. — Se você desistir dele, vai me perder também.

— Eu sei. — Era um pensamento sensato, e eu ainda tinha muito o que refletir sobre ele.

Tentamos o salto quádruplo naquela noite, depois que parei de chorar, e correu tudo muito bem, embora depois eu tivesse ficado na dúvida se havia quebrado uma de minhas costelas. Não queria magoar Paul, por isso não lhe disse nada, mas ao deitar a seu lado na cama, pensando, senti que ele pegava minha mão esquerda e colocava um anel no meu dedo.

— O que está fazendo? — perguntei, parecendo preocupada, mas ele não podia ver o meu olhar no escuro. Eu esperava que fosse alguma coisa que tivesse encontrado numa caixa de Cracker Jack em algum lugar, mas, sabendo como ele era, isso parecia improvável. Finalmente, não consegui agüentar mais o suspense, acendi a luz e olhei.

Arfei ao vê-lo. Era o anel de rubi mais esquisito que já tinha visto, de quase quarenta quilates e o formato de um coração.

— Paul, você não pode fazer isso... Não vou deixar você... desta vez isso realmente é demais. — E eu queria honestamente dizer isso.

— Está tudo bem, Steph — disse ele, sorrindo. — Eu pus na conta dele. — Tinha certeza que ele o fizeras, mas mesmo assim era um presente incrível e um anel espetacular. Mas me perguntei sobre quais eram as intenções daquele presente. Olhei para ele com uma pergunta nos olhos. Mas Paul sorriu para mim e acenou com a cabeça. — Este não é um anel de noivado. É um presente de Natal... para você se lembrar de mim. — Havia lágrimas em seus olhos enquanto dizia essas palavras, assim como nos meus enquanto o beijava.

— Eu te amo, Paul — disse, segura do que sentia. Naquele momento, não estava me importando se ele era apenas um clone. Ele era o homem mais gentil, engraçado, doce e *sexy* que eu já conhecera. Talvez bem mais do que Peter.

— Eu também te amo, Steph. Quero que tome conta de si mesma enquanto eu estiver longe. Não deixe que ele a enlouqueça... ou a magoe. Ele o fará se você não tiver cuidado.

— De certa maneira, ele já o fizera, mas eu não queria encarar isso.

— Ele faz de qualquer jeito, quero dizer, me deixa louca. Assim como você. — Mas as recompensas que ele me deu quase fizeram com que isso valesse a pena, pensava enquanto olhava para o enorme coração de rubi. — É aí que está o perigo — disse, pensando alto, enquanto ele olhava para mim.

— Onde? Na jóia?

— Não, no fato de vocês dois me deixarem louca. Ou talvez eu já o estivesse. Talvez tenha sido por esse motivo que ele me escolheu. Acho que ele sabia o que eu estava fazendo em Paris. — Mas Paul tinha certeza, mesmo sem me dizer, que Peter sabia um monte de coisas. Ele era um homem esperto. A única coisa que não sabia era se realmente me amava. Se amava, por que queria me dividir com um clone? Havia mais do que simples conveniência na jogada, ou apenas o desejo de exibir uma invenção que era única? Perguntava a mim mesma se ele queria se livrar de mim no fim das contas, se *queria* que eu me casasse com Paul. Mas, quaisquer que fossem suas intenções, ou suas teorias confusas, eu sabia que amava Peter e, apenas numa intensidade menor, Paul.

E refletindo sobre essa situação pela milionésima vez, abracei Paul ainda com o anel de rubi no dedo, e adormeci; mas foi com Peter e não com Paul que sonhei a noite toda, enquanto dormia intermitentemente até o amanhecer, o que me disse algo.

Capítulo Dez

Dado tudo que disséramos um para o outro na noite anterior, foi muito emocionante para nós quando Paul partiu desta vez. Não havia mais a certeza absoluta de que voltaria. Eu não lhe podia prometer nada, e ele sabia disso.

— Em poucas horas, terei minha cabeça arrancada outra vez, todos os fios pendurados para fora, e você vai voltar para ele — disse Paul, com um ar melancólico. — Detesto pensar nisso — e depois olhou para mim com a maior ternura que eu já vira. — Só quero que seja feliz, Steph. Isso é tudo. Faça o que quer que tenha de fazer. — E eu sabia, enquanto olhava para ele, exatamente o que queria dizer, e o amava por isso.

— Será que ainda poderei ver você se resolver deixar Peter?

— Estava agora preocupada com todas as coisas que dissera. Não estava me sentindo tão corajosa, e fiquei ainda pior quando ele balançou a cabeça e quase começou a chorar.

— Não, você não poderá. As coisas não funcionam assim. Eu só posso ficar à disposição dele. Não posso ver você por conta própria.

— Mas você disse... você me pediu em casamento na noite passada... — Eu estava confusa. Será que Peter também seria parte disso? O que Paul estava pensando?

Danielle Steel

— Eu estava me enganando, Steph. Poderíamos nos casar, mas eu ainda dependeria de mim. — Ele disse isso honestamente, não queria mentir, nunca o fizera antes e não ia começar agora. — Eu teria que dividi-la com ele, mesmo se você me amasse mais.

— Às vezes acho que amo. — Eu também era sempre honesta. Mas, na maior parte das vezes, sabia exatamente o quanto amava Peter.

— Acho que você realmente o ama, Steph. Talvez devesse isso a ele.

— Eu provavelmente iria apavorá-lo — disse com ar pensativo. Mas qual era o problema? Nosso relacionamento funcionava perfeitamente desse jeito. Para ele. Por que pedir mais? Por que empurrar com a barriga até o limite? Eu não queria isso.

— Como diz Charlotte, ele é otário — resumiu Paul. — Talvez vocês dois o sejam. Quem sabe se mereçam? A vida é muito curta para se perder o que se tem. Ou até me perder. Me enlouquece pensar que vou ficar sentado durante meses, sem minha cabeça, enquanto vocês dois vão ficar por aí. Experimente pedir para que ele faça o salto triplo. Ele é muito desajeitado e pode se machucar. Tenha cuidado. — Paul tentava esconder o quão emocionado se sentia por estar me deixando, e fiquei especialmente preocupada quando ele surgia vestindo calça de camurça preta, com uma jaqueta preta de lantejoulas e botas de salto alto de couro de jacaré preto. Eu nunca o tinha visto com um ar tão conservador e sombrio.

— Detesto deixar você desta maneira, Steph — disse ele com tristeza —, sem saber quando vou vê-la outra vez, se é que vou.

— Suspeito que vai. — Sorri timidamente para ele. Como você podia deixar um homem que tinha um clone? Especialmente um como Paul. — Não tenho certeza se poderia algum dia desistir de vocês dois. Acho que estou presa. Tenho que voltar

ao consultório do Dr. Steinfeld para trabalhar essas coisas, e isso pode durar para sempre.
— Por favor, não faça isso. Você não precisa dele. Você sabe o que quer. — Ele sorriu com tristeza para mim e pude ver o quanto me amava.
— Se cuide — disse-lhe enquanto me beijava pela última vez. Eu ainda estava usando o seu anel de rubi e sabia que sempre usaria. Ele me disse que queria que eu o guardasse.
— Transmita o meu amor para seus filhos. — Eles já tinham saído para o colégio. E então ele olhou para trás, enquanto o ascensorista colocava sua bagagem dentro do elevador, e disse: — Seja feliz, Steph, seja qual for sua decisão. — A porta se fechou antes que eu pudesse responder. Perguntei a mim mesma se o veria de novo algum dia. Naquele exato momento, eu não tinha certeza e já sentia falta dele.

E, quando fui para o aeroporto num carro alugado, um Tornado violeta fosco escolhido por Paul, ainda podia ouvir o eco de suas palavras. Questionava-me sobre onde estaria agora, se sua cabeça já teria sido arrancada àquela altura, se seus fios estavam sendo puxados. Eu sabia que novamente ele teria um bocado de problemas. Ele fumou durante toda a semana com a orelha esquerda e a narina direita, e não sabia o que isso significava.

E, quando fiquei em pé no portão, esperando por Peter, tudo em que conseguia pensar era Paul. Era o relacionamento mais confuso que eu já tivera. Roger pelo menos foi monótono. Ele dormia bastante e via bastante TV. Ele até assistia a *Jeopardy!* de tempos em tempos e a *Geraldo*, embora nunca tivesse admitido isso quando desligava a TV assim que eu entrava na sala. Mas não havia nada monótono no que dizia respeito a Peter ou Paul. E o que é pior, de certa forma um completava o outro. Juntos, eram um homem completo. E que homem!

Eu ainda estava perdida em meus pensamentos quando Peter saiu do avião. Nem cheguei a vê-lo até que ele parou ao meu lado e me puxou para seus braços sem dizer uma palavra. Beijou-me e depois me afastou para que pudesse ter uma visão mais completa do meu corpo.

— Você está bem? — perguntou, examinando-me cuidadosamente, como se esperasse que eu estivesse me sentindo diferente. Mas eu era a mesma, e tão apaixonada por ele quanto no verão. Ele estava usando *blazer*, calça esporte cinza, uma suéter cinzenta com gola alta e um novo par de sapatos Gucci que comprara na Califórnia. Estava mais lindo do que nunca. Havia cortado o cabelo e exalava um ar *sexy* e poderoso. — Estive preocupado com você.

— Está tudo bem. — De fato, tudo estava bem, com exceção das minhas costas, é claro, depois de duas semanas de saltos triplos e ocasionais quádruplos. Paul havia sugerido que eu procurasse um *personal trainer* ou então uma braçadeira. — Como estava a Califórnia?

— O mesmo de sempre. — Ele me falou sobre sua viagem enquanto pegava a bagagem e, para grande surpresa minha, não fez nenhuma pergunta sobre Paul. Mas, enquanto íamos para o estacionamento, ele notou o anel de rubi em forma de coração no meu dedo. — Onde conseguiu isso? — perguntou, parecendo preocupado. Mas eu sabia que ele suspeitava da procedência do anel. E de quem pagara por ele.

— De você — eu disse tranqüilamente, e ele foi educado o suficiente para não fazer qualquer comentário. Mas fez uma cara feia e depois resmungou baixinho, ao ver o Tornado violeta.

— Você tinha que alugar um carro dessa cor?

— Era tudo que eles tinham — expliquei educadamente.

— Por quanto tempo o Jaguar vai ficar na oficina?

— Três meses.
— Ele não mandou repintá-lo, mandou?
Hesitei por uma fração de segundo e depois balancei a cabeça.
— É um tom lindo de azul-esverdeado. Paul achou que você ia gostar.
— Por que não laranja ou verde-limão? — disse irritado, jogando sua bagagem na mala e olhando para mim.
— Ele pensou que você iria preferir azul.
— Eu preferiria que ele não dirigisse quando visitasse você. Mesmo. — Ele olhava para mim com um ar infeliz enquanto se escondia atrás da roda. — Acho que preferiria que ele não a visitasse. Ele só faz criar problemas e é uma péssima influência para as crianças.
— Você é quem sabe — falei, resignada. Nunca vira Peter com um astral tão baixo. Devia ter sido uma viagem dura, ou talvez ele só estivesse magoado por causa do Jaguar.
— Sim, eu é que sei — disse ele, implacável.
Ele não relaxou até chegarmos em casa e eu lhe oferecer uma massagem. Disse que seu pescoço o perturbara por toda a semana. Era, obviamente, tensão. Mas também tive minha parcela de culpa. Quicar de um lado para o outro entre os dois como uma bola de pingue-pongue não era exatamente fácil para mim. E, naquela noite, estava completamente confusa outra vez. Comecei a me sentir como se estivesse precisando mais de um exorcista do que de um namorado. Era como se Peter nunca tivesse viajado e Paul nunca tivesse existido. Era macabro. Eu estava apaixonada por quem estivesse comigo e levemente enamorada do outro. Naquele momento, eu estava profundamente encantada por Peter mais uma vez. Ele fez omeletes para mim e para as crianças, e agiu como se nunca

tivesse nos deixado. As crianças não mais pareciam surpresas ao vê-lo em calças de flanela cinza em vez de verde. Já o tinham visto promover essa mudança antes e ainda a associavam ao estresse, ou a fluxos de temperamento, ou ainda a problemas no escritório.

E, depois que elas foram para a cama, acabamos previsivelmente no meu quarto, e ele me olhou com desejo. Eu sabia o que tinha em mente, e tinha as mesmas intenções, mas avisei-o de que não estava apta a realizar o salto duplo. Ele pareceu ficar magoado quando eu disse isso e foi para o banheiro sem dizer uma palavra. Era como se não quisesse mais ouvir falar sobre Paul, embora o tivesse mandado.

Ouvi Peter tomar uma ducha e o vi sair vestindo seu pijama azul-marinho, o qual eu lavara de manhã e a faxineira havia passado com precisão absoluta.

Ele trancou a porta e ficamos bem quietos para que as crianças não nos ouvissem. Só depois que fizemos amor é que ele começou a se soltar. Pôs um braço em volta de mim, suspirou profundamente e me disse o quanto sentira minha falta. E, exatamente como havia acontecido antes, eu sabia com plena certeza que meu coração era dele e não de Paul. Era sempre mais divertido estar com Paul, mas minha relação com Peter era mais poderosa e tinha um significado mais profundo.

Mas a transição ainda não me era fácil e, quando ele foi embora, às três horas daquela manhã, tudo em que eu podia pensar era em Peter e não em Paul. Estar com Peter simplesmente parecia muito mais real para mim. Mas o estranho era que eu temia que fosse Paul quem realmente estava apaixonado por mim, e não Peter.

— Vou ligar de manhã — cochichou Peter antes de sair e eu já estava ferrada no sono antes dele fechar a porta, sonhando com os dois me estendendo a mão. Eu não estava certa quanto a qual delas deveria pegar.

Quando acordei na manhã seguinte, o sol estava adentrando o quarto, mas eu sentia certa tristeza. Era estranho acordar e não ver Paul. Não sabia por que, mas me senti como se, em algum momento no meio da noite, o tivesse perdido.

Peter disse que eu estava quieta quando veio me ver na hora do almoço, mas disse que estava bem. Só estive pensando em algumas coisas que Paul dissera. Porém, mais do que nunca, estava a par do quanto tudo isso era difícil; mudar de um para o outro consecutivamente. Estar tão tranqüila com Peter para depois ter que me ajustar a Paul. Acostumar-me com todos os seus truques, travessuras e roupas, passar minhas noites dando saltos triplos, e depois deixá-lo ir embora. E depois voltar para Peter de novo. Do amor à luxúria e mais uma vez de volta ao ponto de loucura. Por mais que amasse esse homem, era demais esperar de mim que eu fosse capaz de amar tanto o homem quanto o clone. E eu não queria dizer nada para Peter sobre o quanto isso era difícil. Mas supunha que ele sabia. Não queria ferir seus sentimentos e tudo soava muito absurdo. Eu não sabia mais por quanto tempo poderia continuar. Sabia apenas o quanto Peter significava para mim, e que dádiva rara ele era para minha vida. Eu sabia que era um momento decisivo para mim, mas não achava que ele estivesse pronto para ouvir isso.

— Sente falta dele, não? — perguntou Peter quando fomos dar uma caminhada no Central Park aquela tarde. Fazia muito frio e nevava. Então, olhei para ele e concordei. Eu sentia. Mas ele era, afinal de contas, apenas um clone. Eu sabia disso agora, um conglomerado de *chips* de computador e fios entocados dentro de cetim rosa. Peter tinha mente, coração, alma, e um gosto muito mais apurado para se vestir. Mas, a despeito

de tudo isso, eu realmente o amava. — Pensei nisso na viagem de volta — disse Peter calmamente. — Não fui muito legal com você, fui? — Não havia sido. Mas, convenhamos, que homem já foi legal? Roger também não havia sido. E Peter parecia ser melhor do que a maioria. Ele tinha mais de tudo do que qualquer homem que eu já conhecera. E ainda tinha um clone, o que fazia dele um sujeito duplamente divertido.
— Não estou reclamando. — Mas havia reclamado com Paul. Reclamei muito da insensibilidade de Peter para com a situação e com os meus sentimentos.
— O que significa o anel? Só outro presente ou algo mais? — Ele de fato parecia preocupado, enquanto flocos de neve lhe atingiam o nariz e o cabelo. Havia parado de andar e olhava para mim, com olhos cheios de perguntas. Ele pareria torturado.
— Só outro presente — disse com ar pensativo, lembrando-me de quando Paul o colocou no meu dedo. Eu não o havia tirado até então.
— Ele a pediu em casamento? — Hesitei por um longo tempo antes de falar, sem saber o que Paul queria que eu respondesse. Mas minha lealdade total era para com Peter, e não para seu clone. Inclinei a cabeça silenciosamente enquanto caminhávamos. — Já imaginava isso. O que você disse? — Ele parecia inflexível, mas como se achasse que tinha o direito de saber.
— Eu disse que não podia me casar com um clone.
— Por que não? — Peter parou de andar mais uma vez e fitou-me enquanto a neve caía a nossa volta.
— Você sabe tão bem quanto eu. Não posso me casar com um clone Ele é um computador, uma máquina, uma criação, não um ser humano. É ridículo falar sobre isso. — Além do mais, e talvez isso fosse mais importante, eu amava Peter e não sen-

tia nada no mesmo nível por Paul. Não importa quão tentador ele fosse, Paul era apenas uma ilusão. Peter era inteiro, ou pelo menos era isso que eu pensava.

Peter estava estranhamente quieto enquanto voltávamos para casa. E disse, então, que tinha que voltar para seu apartamento e que me ligaria mais tarde. Mas, até a hora do jantar, ainda não havia ligado. As crianças ficariam com Roger até o resto daquele fim de semana e telefonei diversas vezes para Peter naquela noite, sem obter resposta. Deixei diversas mensagens e depois sentei-me no escuro, no meu quarto, enquanto via a neve cair, imaginando onde ele poderia estar e o que havia acontecido entre nós.

Não recebi notícias dele até a manhã seguinte e, quando ligou, soou estranhamente frio. Disse que receberia uma ligação da Califórnia e que estava partindo naquela manhã. Não queria que eu o levasse ao aeroporto e estaria de volta em poucos dias.

— Antes do Natal — disse vagamente.

— Há algo errado? — O tom da voz dele me apavorou. De repente, parecia estar muito distante.

— Não, é só uma reunião de emergência. Nada crucial, mas quero estar lá. — Ele não ofereceu mais explicações.

— Quero dizer conosco. — Minha voz tremia enquanto eu fazia a pergunta. Nunca o ouvira soar tão frio. Parecia outra pessoa.

— Talvez. Vamos falar sobre isso quando eu voltar para casa.

— Não quero esperar tanto. — Podia ouvir em sua voz. O fim havia chegado. Supus que ele nem se importaria em me mandar Paul. Peter parecia estar se recolhendo para um mundo próprio, e nele não havia lugar para mim.

— Só preciso de um tempo para espairecer — explicou ele, mas sua voz soava gélida, enquanto a neve continuava a cair além das janelas. — Vejo você dentro de alguns dias. Não se preocupe se eu não ligar. — Disse a ele que não e estava chorando ao desligar. Talvez fosse outra mulher. Talvez fosse por isso que estava voltando para a Califórnia. Talvez fosse dessa vez que ele, em vez de Paul, tivesse sido lembrado por uma loura em São Francisco. Outra Helena. Eu estava profundamente preocupada com isso.

Sentei-me sozinha no meu apartamento naquela tarde, repassando tudo isso em minha mente, perguntando-me o que saíra errado, o que eu havia feito e por que ele parecia tão frio e irritado. Até então, tínhamos ficado juntos por exatos cinco meses, o que me parecia um tempo razoável, mas sob a perspectiva de uma vida a dois não passava de um momento. Eu me perguntava se chegaria sequer a ter mais notícias dele, ou se voltaria mesmo para o Natal, como prometera. E seu "Vamos falar sobre isso quando eu voltar para casa" parecia qualquer coisa, menos a promessa de momentos felizes. Ele prometera me ligar quando voltasse e depois desligara, sem me dizer que me amava. Podia sentir o cheiro de outra decepção no meu futuro. Talvez até o Natal, se eu tivesse muito azar.

As crianças deveriam voltar às cinco e meia e, meia hora antes, a campainha tocou. Imaginei que Roger as estava trazendo de volta mais cedo e fui abrir a porta, ainda me sentindo um pouco mal-humorada. Estava muito deprimida por causa de Peter. E, ao abrir a porta, deparei com Paul ali em pé, tirando a neve de seu casaco de *vison*. Ele o usava com uma calça esporte de tecido vermelho colante, uma suéter Versace vermelha e cintilante, e botas de *cowboy* vermelhas e de couro de jacaré. Peter o mandara, no fim das contas. Por um momento, fiquei aliviada. Pelo menos, não ficaria mais sozinha.

— Oi — falei taciturna, enquanto ele me pegava nos bra-

Klone e eu

ços, me tirava do chão e me rodava até eu ficar tonta. Ele estava com luvas de prata que tinham pequenos rabos de arminho e, quando me abraçou, as tirou e as jogou aos meus pés como se fossem manoplas de armadura. Notei que, pela primeira vez, trazia uma nova bagagem. As Hermès de couro de jacaré púrpura haviam desaparecido, e ele estava com malas vermelhas e brilhantes de avestruz, feitas por Vuitton, com as iniciais P. K. gravadas em pequenos losangos.

— Não parece feliz em me ver — disse ele, tirando o casaco e parecendo desapontado. A verdade era que eu não estava. Só não podia mais ficar fazendo esse jogo. Já me despedira dele dois dias antes e aceitara a situação, sabendo que aquela poderia ter sido a última vez em que nos veríamos. E depois meu coração se virou para Peter. Ele era tudo em que eu podia pensar agora, enquanto olhava para Paul, terrivelmente decepcionada com o fato de Peter o tê-lo mandado para mim neste momento.

— Ele saiu — disse com tristeza, enquanto lágrimas gêmeas desciam pelas maçãs do meu rosto, sentindo falta de uma de minhas velhas camisolas de flanela. Não estava com ânimo para brincadeiras, nem para Paul. Era muito peso nas minhas costas. Sentia-me como se estivesse vivendo numa porta giratória, quicando de um lado para o outro. Mas eu sabia onde meu coração havia parado agora, e sabia melhor ainda que Peter mal se importava com isso e que Paul era incapaz de entender isso. Mas, pelo menos, eu havia entendido.

— Sei por que está magoada — disse Paul cheio de felicidade, sorrindo enquanto marchava em direção à cozinha, espalhando neve por toda a minha sala com total naturalidade. Abriu o armário onde estava o uísque e, dessa vez, pegou uma garrafa de vodca. Em segundos, havia tomado duas doses e servia uma terceira. Era a primeira vez em que o via bebendo vodca, e ele parecia adorar. — Peter me disse que você sentiu terrivelmente a minha falta — explicou ele, parecendo feliz consigo mesmo, para depois acrescentar com ternura — é por isso que ele me mandou. — Ele circulava pela minha cozinha como se fosse seu dono, o que me incomodou profundamente. Paul, afinal de contas, era apenas um clone, e não era o meu dono.

— Preferia que ele não o tivesse te enviado, Paul — eu disse honestamente. — Não estou em condições de ficar com você. Acho que seria melhor você ir — falei com tristeza.

— Não seja tola. — Ele me ignorou e se esparramou numa cadeira, servindo-se de outra dose de vodca. — Ele não serve para você, Steph. Acho que ele a deprime. Deve ser o jeito dele se vestir. — Tudo em que eu podia pensar era que Paul parecia um morango gigante enquanto estava sentado ali na minha cozinha, com sua calça colante vermelha para lá de vistosa.

— Eu *gosto* da maneira de Peter se vestir — eu o defendi, e estava certa do que dizia. — Ele fica lindo, viril e *sexy*.

— Você acha que flanela cinza é *sexy*? — Respondi afirmativamente com a cabeça e ele gemeu, escondendo os lábios atrás do copo de vodca. — Não, Stephanie, flanela cinza *não* é *sexy*. É enfadonha. — Ele dizia isso com total confiança.

— Eu o amo — disse da sala, observando-o e imaginando por que um dia pensara tê-lo amado. Paul era um personagem de desenho animado, não uma pessoa. De fato, não era nem uma coisa nem outra, mas ambos sabíamos disso. Isso não parecia desanimá-lo.

— Não, você não o ama, Steph. Você me ama e sabe disso.

— Eu adoro estar com você, eu me divirto com você. Você é selvagem, engraçado, doce e divertido.

— E ótimo de cama — acrescentou ele, sentindo o calor da vodca. — Não esqueça disso.

Klone e eu

— Você não precisa fazer exibições acrobáticas para ser bom de cama — repliquei, tranqüila. Afinal, eu nunca quisera entrar para o circo.

— Pare de inventar desculpas para ele. Ambos sabemos qual é a verdade. Ele é patético.

— Não — eu disse, subitamente mais irritada. — Você é que é. Você acha que pode entrar aqui toda vez que ele viaja para se divertir comigo, me rodopiar no ar, beber sem pensar nas conseqüências e me fazer de tola diante dos meus amigos. Acha que estou tão envolvida pelos seus encantos que irei esquecê-lo. Pois bem, não vou. Não posso. Nunca irei. Eu nem acredito que ele me ame, se quer saber a verdade. Mas, mesmo que ele não sinta nada por mim, eu ainda o amo.

— Você é repugnante. — Paul parecia profundamente ofendido e, de repente, receei ter ido longe demais, magoando-o de fato. Sua fiação era extremamente sensível e eu sabia como era fácil ferir seu ego. — Mas você está certa. Ele não te ama. Não creio que ele saiba como fazê-lo. Foi por isso que me construiu. Ele queria que eu criasse todo o clima de fantasia. E eu faço isso. Convenhamos, Steph. Eu faço com que ele se torne aprazível. Sem mim, ele não é nada.

— Sem ele, você é que não é — repliquei abruptamente e Paul reagiu como se eu o tivesse atingido. Queria parar por aí, mas não podia. Sabia que, em consideração à minha própria sanidade, eu tinha de ser franca. Era louca por ele, adorava-o ilimitadamente. Nunca antes me divertira tanto e me preocupava profundamente com ele mas, nos dois últimos dias, havia descoberto o que sempre suspeitara em segredo. Eu não o amava. Amava Peter. Absoluta e verdadeiramente. Mesmo se Peter nunca tivesse entendido. Isso ainda não mudava a realidade.

— Você feriu meus sentimentos, Steph — disse Paul, para

depois pegar mais uma vez a garrafa de vodca e beber direto do gargalo. A seguir, soluçou alto enquanto a colocava de novo em cima da mesa. Era uma daquelas pequenas coisas que eu adorava nele.

— Desculpe, Paul. Eu tinha que dizer isso.

— Não acredito em você. E nem Peter. Ele sabe que você me ama.

— Por que pensa assim?

— Ele me disse — respondeu Paul bravamente. — Ele me ligou antes de viajar para São Francisco.

— O que ele disse? — perguntei, curiosa para saber sobre o que conversavam e o que diziam sobre mim. Contemplar aquilo era mais do que um simples desalento. Nenhuma mulher gosta de saber que seus dois amantes se consultavam.

— Ele simplesmente disse que você andou deprimida desde que ele voltou, e que precisava espairecer. Aparentemente, ele estava criando certa intimidade com você. Ele perdeu muito enquanto esteve fora. E disse que, ao voltar, percebeu a falta que lhe fiz. Você sentiu, não? — Ele sorriu para mim com um ar vitorioso.

— Eu sempre sinto sua falta — disse honestamente. — E estava deprimida pensando que talvez nunca mais fosse vê-lo.

— Por que não? — O clone parecia confuso.

— Eu não iria vê-lo se o tivesse deixado, Paul. Já falamos sobre isso.

— Por que você iria deixá-lo se, supostamente, o ama tanto?

— Porque ele não me ama. E não posso fazer esse jogo para sempre, dormir com vocês dois. Isso não é decente e a adaptação é muito difícil. Num minuto, estou quicando nas paredes ao seu lado, e tentando impedir que você pegue os ônibus er-

Klone e eu

rados na Quinta Avenida; no seguinte, estou tentando me portar de forma respeitável com ele e me ajustar às suas necessidades. E, quaisquer que sejam não tenho certeza se, no momento, elas me incluem. Ele mal se despediu de mim ao viajar para a Califórnia.

— Porque ele sabe que pertencemos um ao outro.
— Seu lugar é na oficina, sem a cabeça. E o meu é no hospício. — Porém, e com muito mais precisão, eu sabia que meu lugar era ao lado de Peter. Para sempre, se ele deixasse. Mas agora isso parecia improvável.

— Ele não quer ficar entre nós — disse Paul com segurança, como se conhecesse Peter melhor do que eu e falasse por ele.

— Então ele é mais louco do que você. — Antes que eu pudesse falar mais, as crianças voltaram para casa depois de passarem o fim de semana com Roger e Helena, e queriam reclamar. A essa altura já estavam tão acostumadas com Paul e com as roupas exóticas que usava, que mal notaram que ele estava sentado na cozinha, e evidentemente, pensaram que fosse Peter.

— Belas calças — comentou Charlotte enquanto procurava uma Dr. Pepper e continuava reclamando de como Helena era uma meretriz e de quão repugnante estava, com seus seios maiores do que nunca. Enquanto isso, eu insistia para que ela a respeitasse. Era inútil. Eu ainda conversava com ela quando Paul desapareceu com Sam, como se estivessem conspirando, e quase tive um enfarte meia hora depois, quando fui procurá-los e vi Paul lhe dando um iguana vivo, que trouxera em sua maleta.

— Oh, meu Deus — gritei. — O que é isso?
— Seu nome é Iggy — disse Sam com orgulho. — Um amigo de Peter o trouxe da Venezuela.

— Bem, diga a ele para levá-lo de volta. Você não pode ter uma coisa dessas em casa, Sam. — Estava em pânico.

— Ah, mãe... — Sam me encarou com seus olhos grandes e me implorou.

— Não! *Nunca!* — E então virei-me para Paul, enfurecida. Ele não só chegara sem ter sido convidado, como sempre e desta vez indesejado, como havia trazido um monstro. — Você pode fazer um belo par de botas com ele, uma pelo menos. Tenho certeza que seu amigo na Venezuela pode encontrar outro. Você nem vai precisar tingi-los. Eles já são verdes. Agora coloque essa coisa de novo em sua maleta! — Paul o tirou da cabeça de Sam, onde ficou descansando, e o embalou carinhosamente, enquanto Sam continuava a me implorar para ficarmos com ele. — Esqueçam, vocês dois! Livrem-se dele. Ou então vou mandar os três para a Venezuela. Adeus, Iggy! — disse enfaticamente e voltei à cozinha para fazer o jantar. O que eu iria fazer com ele? E, com ou sem Iggy, desta vez eu sabia que Paul não iria ficar. Havia tomado uma decisão.

Estava cozinhando uma massa quando Paul adentrou a cozinha de novo, com uma expressão séria.

— Estou desapontado com você, Steph. Você perdeu o senso de humor.

— Eu cresci. Você não iria entender. Você não é real. Nem pode ser Peter Pan para sempre. Eu não posso. Sou uma mulher adulta com dois filhos.

— Você soa como Peter. Ele sempre diz baboseiras como essas. É por isso que todos o acham tão pedante.

— Talvez seja por isso que eu o amo. Além do mais, ele nunca faria algo assim, como trazer um negócio desses para Sam. Talvez um peixinho dourado ou um *hamster*. Talvez um cão. Mas não um monstro verde, ou seja lá o que isso for.

— Ele é um iguana e é uma beleza. E por que acha que ele não faria isso? Você não o conhece.

— Conheço-o intimamente e, acredite, ele *não* daria um iguana para meu filho.

— Bem, me desculpe — disse ele, enquanto pegava a garrafa de vinagre que estava na cozinha para servir de tempero e a bebia até a metade. — Será que tenho tempo para tomar uma ducha antes do jantar?

— Não — disse com firmeza. — E você não pode ficar aqui esta noite.

— Por que não? — Ele aparentava estar desapontado quando começou a soluçar. — Esse vinagre é horrível. Você não devia usá-lo.

— E você não devia bebê-lo.

— Acabei com a vodca e você está sem uísque.

— Eu não sabia que você estava vindo. Peter só bebe martínis.

— Não me importo com o que ele bebe. E por que não posso ficar aqui?

— Porque estou virando uma página em minha vida. Acho que, desta vez, ele ficou desapontado com você. Não quero estragar uma relação que é importante para mim, mesmo que ele o tenha enviado.

— Não é um pouco tarde para isso? Afinal de contas, você nem acha que ele te ama. — Ele soou banal quando disse isso. Era a vodca. Ou talvez o vinagre.

— Essa não é a questão. Se ele me ama ou não, eu o amo. E você não pode dormir aqui.

— Não posso voltar para a oficina — disse ele, obstinadamente. — Não tenho as chaves e ela fica fechada aos domingos.

— Então fique no Plaza. Você tem seu cartão American Express. Bote tudo na conta do Peter.

— Só se você ficar lá comigo.
— Esqueça isso... e, além do mais, eu não tenho uma babá — disse distraidamente, enquanto a massa começava a queimar. Toda a água havia evaporado enquanto estávamos discutindo sobre o iguana e se ele podia ou não dormir na minha casa.
— Então vou ficar aqui — disse ele, prático. —Até ele voltar da Califórnia.
— Paul — disse com firmeza, olhando bem nos olhos dele —, você pode ficar para jantar, mas depois vai embora. — E eu não estava brincando, quando Charlotte entrou na cozinha e olhou para nós dois com expressão curiosa.
— Quem é Paul? — perguntou ela, imaginando que jogo estávamos fazendo. — O que aconteceu com o jantar?
— Eu o queimei — disse com os dentes cerrados, encarando ambos de forma penetrante, enquanto Sam adentrava o cômodo, segurando o iguana.
— Tire essa coisa daqui! — gritei com ele, enquanto jogava a massa queimada na pia. Ela estava além de qualquer salvação.
— Eu te odeio! — disse Sam, enquanto voltava para seu quarto com Iggy.
— Você realmente devia deixá-lo ficar com o bicho — disse Paul gentilmente. — Significa muito para seu filho.
— Saia da minha vida! — repliquei, com vontade de gritar, chorar ou bater nele.
— Você não vai deixar que eu faça isso — disse ele, sorrindo para Charlotte. — Sua mãe fica muito nervosa quando cozinha, não fica? Você não quer que eu faça alguma coisa rápido? — ofereceu-se prestativamente, enquanto tirava uma *pizza* congelada do *freezer*.
— Não, obrigada. — Então ele pegou o dado dos mentiro-

sos e começou a brincar com Charlotte, enquanto eu me movimentava ruidosamente pela cozinha.

Eram nove horas quando servi o jantar, e de algum modo consegui queimar a *pizza*.

Já passava das dez quando terminei de limpar a cozinha. Sam estava dormindo em seu quarto àquela altura e ainda mantinha o iguana. Quando fui lhe dar o beijo de boa-noite, vi o bicho deitado ao seu lado, no travesseiro, e fechei a porta delicadamente para que ele não pudesse escapar. Paul teria que levá-lo de volta. Eu jamais iria deixar que Sam ficasse com aquele animal.

— Ele está dormindo? — perguntou Paul gentilmente, quando voltei para a cozinha. Ele estava se servindo da minha única garrafa de gim de safira. Eu a havia guardado para Peter, mas, de repente, isso parecia não importar muito. Peter dissera que "tínhamos de conversar", o que sempre me soava um tanto fúnebre. Ele provavelmente iria me dispensar quando voltasse da Califórnia, se é que não o havia feito. E provavelmente não tinha coragem para me dizer isso. Lembro-me de como estávamos quietos quando andamos no parque, no meio da neve, e da maneira como me olhou depois de ver o anel de rubi que Paul me dera.

Servi-me de uma pequena dose de gim, misturei com um pouco de água tônica e acrescentei dois cubos de gelo.

— Eu pensava que você não bebia. — Ele parecia chocado ao ver a cena.

— Eu não bebo. Mas acho que estou precisando.

— Que tal uma massagem?

— Que tal pegar o seu iguana e ir para um hotel sem mim?

— Eu já havia aguentado o máximo possível por uma noite, dois jantares queimados, um romance *on the rocks* e um lagarto gigante solto no quarto do meu filho, sem mencionar esse lúnatico com o qual estive dormindo e que provavelmente estragou a minha relação com Peter. E Paul nem era humano. Minha vida estava em cacos. Vinha depilando minhas pernas religiosamente há dois anos, desistira de comer passas, havia encontrado o melhor homem que já conhecera, e consegui de algum modo estragar tudo ao ter um caso com um clone.

— Eu acho que você devia ver o Dr. Steinfeld — disse Paul com simpatia enquanto me via tomar o gim-tônica.

— Talvez todos nós devamos. — Estava cansada demais para insistir nesse assunto. Tudo que eu queria era ver Peter, em vez de Paul, sentado confortavelmente na cozinha com sua calça esporte escarlate. — Será que essas roupas não coçam? Nem posso usá-las. — Estava lentamente ficando bêbada com uma dose e não me importava. De qualquer maneira, minha vida tinha acabado. Eu havia perdido Peter.

— Sim, coçam — disse Paul informalmente, indiferente ao desespero que eu estava sentindo. — Vou tirá-las num minuto.

— Não aqui — disse oportunamente, no que ele sorriu.

— É claro que não. Quis dizer no banheiro. — Sentei-me de novo na cadeira da cozinha e gemi, os olhos fechados. Por que Peter fez isso comigo? Por que ele não podia escolher uma outra pessoa em Paris e infligir seu clone a outra mulher acima de qualquer suspeita? Eu estava amando Jekyll e Hyde. Gostava mais de Jekyll, mas ele não me queria. E eu não conseguia expulsar Hyde da minha vida, do meu cabelo ou da minha cozinha. Estava cansada de tentar. — Onde está Charlotte? — perguntou ele com alguma preocupação, enquanto levantava e se esticava.

— Dormindo. — Ela havia ido para a cama logo depois de Sam.

Klone e eu

— Tão cedo?
— Eu a pedi para arrumar o seu quarto e fazer o dever de casa. Isso é como lhe dar óxido nítrico. Ela desmaiou assim que eu lhe disse essas palavras. — Isso também explicava por que o apartamento estava tão tranqüilo.

Terminei o gim-tônica e me levantei, olhando-o, imaginando se havia alguma esperança de me livrar dele naquela noite, mas achava que não. Seria simplesmente mais fácil deixá-lo dormir aqui uma última vez, para depois expulsá-lo e a seu iguana de manhã.

— Por que você não dorme no quarto de hóspedes? — sugeri, desistindo mas não completamente. Ele podia ter meu quarto de hóspedes, mas não minha virtude ou meu coração. Ambos pertenciam a Peter. Agora tinha certeza. Não seria dominada novamente, acreditando que amava Paul. Não sentia isso por ele. E então me lembrei. O quarto de hóspedes estava cheio de presentes de Natal e levaria horas para tirá-los de lá. Há dias eu os vinha empilhando lá dentro, e não havia nenhum outro lugar onde colocá-los. Eles ainda não estavam embrulhados e eu não queria que as crianças os vissem. Nem se podia encontrar a cama lá dentro. A situação era angustiante. — Acabei de me lembrar. Você não pode dormir lá. Mas pode dormir no meu quarto. No chão.

— Não posso — disse ele convincentemente, enquanto meu corpo tremia todo ao ouvi-lo. Estava perdendo o homem que amava e não conseguia me livrar do clone que ele me infligiu.
— Não posso dormir no chão — explicou ele. — Não é bom para minha fiação. Pode danificá-la.
— Amanhã eu chamo um eletricista para você. Essa é a sua única opção.
— Você é toda coração, Steph.

— Obrigada. — Apaguei as luzes, botei meu copo na pia e ele me seguiu até o quarto. E, assim que fechei a porta, ele tirou a calça vermelha colante. Tentei não ver como suas pernas eram bonitas. Por terem sido feitas com muito cuidado e precisão, eram tão esplêndidas quanto as de Peter, nos mínimos detalhes.

Entrei no banheiro, coloquei uma camisola, pus um robe e o amarrei. Teria dormido com roupas de esquiar se as tivesse. Estava determinada a resistir.

— Está com frio? — perguntou ele, surpreso com o robe.

— Não, estou frígida — disse simplesmente, para depois deitar na cama enquanto ele ia escovar os dentes. Ele era bom nessas coisas que exigiam disciplina, embora não tivesse necessidade de ir ao dentista. Seus dentes eram brancos e perfeitos e de fato eram feitos de um amálgama de porcelana com algum metal muito raro. Ele havia me explicado isso uma vez, quando perguntei. Não tinha a menor idéia de como era fazer uma obturação. Sujeito de sorte.

Quando ele voltou do banheiro, as luzes estavam apagadas e eu fingia estar dormindo. Estava deitada no meu lado da cama e esperava ansiosamente que ele dormisse no chão, o que era outro sinal de insanidade da minha parte. Ele não tencionava isso. E, em segundos, senti seu corpo na cama ao meu lado. Não podia ver se estava usando o pijama de Peter, mas rezava para que estivesse. E, então, o ouvi acendendo um fósforo e soube o que estava fazendo. Estava acendendo a vela, mas não ousei dizer nada receando que ele notasse que eu não estava dormindo. Então, pouco depois, senti suas mãos tocando delicadamente meus ombros e começando a massageá-los. Fiquei ali deitada, tensa, odiando-o por estar sendo tão carinhoso comigo. Mas eu sabia que havia um motivo para isso. Sabia exatamente o que

Klone e eu

ele queria e estava determinada, pela primeira vez, não importava quão sedutor ele fosse, a não deixar que atingisse seu objetivo.

Mas tinha de admitir, enquanto ele massageava meus ombros e roçava em minhas costas, que aquilo era incrivelmente relaxante. E depois de um tempo, a contragosto, suspirei, e rolei por sobre o meu estômago.

— Melhor? — sussurrou ele à luz de velas. O som de sua voz sempre fazia com que eu me sentisse sensual e feliz, mas nesta noite ele me deixou triste. Soava exatamente como Peter.

Paul começou a se chegar para mais perto de mim a fim de massagear meus braços mas, na intenção de resistir, enrijeci.

— Não chegue mais perto. Tenho um revólver com munição no bolso da minha camisola.

— Então atire em mim.

— Isso irá estragar a sua fiação para sempre.

— Acho que, para você, valerá a pena. — Mas, desta vez, muito embora eu amasse seu toque e o som de sua voz, não fui dominada. Não havia sido lograda. Não estava inconsciente. Tudo em que podia pensar era em Peter. — Em que está pensando? — perguntou ele, enquanto descia seus dedos pelas minhas costas, para depois me massagear as nádegas.

— Estava pensando nele — admiti sonolenta, ao passo que minha voz soava engraçada devido à pressão de suas mãos em minhas costas. — Sinto falta dele. Você acha que ele vai voltar... para mim, quero dizer?... Acho que ele me odeia.

— Nada disso — disse ele suavemente. — Acho que ele te ama.

— Está falando sério? — perguntei, enquanto me virava para olhá-lo de frente. Foi a coisa mais bonita que ele disse durante toda a noite, mas depois percebi que havia sido uma artimanha para fazer com que eu o encarasse e permitir que chegasse mais perto e me beijasse. — Não... — sussurrei à luz de velas, mas as palavras se perderam enquanto ele continuava a me beijar. Não me esqueci de Peter então, só de mim mesma, enquanto suas mãos começavam a se mover lentamente por dentro da minha camisola. — Paul... não... não posso...

— Só uma última vez... por favor... e depois juro que não volto mais... — Mas desta vez, quando disse isso, eu sabia que não iria sentir a sua falta. Nosso tempo havia acabado.

— Nós não devíamos... — Tentei bravamente resistir a ele, e depois me perguntei que diferença iria fazer. Só uma última vez... pelos velhos tempos... algo para lembrar. E, antes que eu pudesse pará-lo, ele já havia começado a fazer amor comigo, enquanto minha camisola e meu robe desapareciam em alguma parte do piso e eu me entregava a ele, sabendo muito bem que não devia. Mas era difícil me lembrar de qualquer coisa enquanto meu corpo murmurava ao seu toque. Era uma canção da qual iria me lembrar por muito tempo. Seria algo para se sonhar, depois que Peter e Paul me deixassem. Só uma lembrança a mais de um tempo de loucuras.

E, enquanto me entregava completamente, ele me segurava em seus braços e eu podia sentir que ele se preparava para pairar nos ares e dar um último salto quádruplo comigo. Extasiada demais para resistir, sorri ao perceber que ele estava começando. Foi como se tivéssemos ficado suspensos no espaço para sempre e, enquanto nos preparávamos para aterrissar graciosamente, como era de praxe, senti que ele fazia um movimento levemente diferente, apenas o suficiente para mudar nossa velocidade e nossa direção. E, antes que eu soubesse o que havia acontecido comigo, havíamos caído da cama, atingido uma cadeira e colidido com uma mesa, com braços e pernas por toda parte, e

Klone e eu

um pé que de repente ficou perto do meu ouvido. Enquanto caíamos como um meteorito que colide com a Terra, ouvi uma batida e vi sua cabeça de um ângulo estarrecedor. Eu me perguntei, enquanto estávamos ali estirados, com a respiração ofegante, se iria finalmente vê-lo sem cabeça.

Tentei me levantar, mas ele estava deitado em cima de mim e eu não podia.

— Merda, o que aconteceu? — Mal podia pôr as palavras para fora e me perguntava se havia quebrado todas as minhas costelas. — Você está bem? — Era uma pergunta inútil. A cadeira também estava em cima de nós e ele parecia estar comendo a minha camisola. O som do que quer que ele estivesse dizendo soava abafado. Tirei a camisola que cobria seu rosto e percebi que ele iria ficar com um olho roxo por causa da perna da cadeira.

— O que você disse?

— Perguntei se você está bem.

— Ainda não tenho certeza. — Envergonhado, ele me deu um sorriso forçado e se ergueu, sobressaltado, apoiando-se em um cotovelo. — Acho que fiz o movimento de forma errada.

— Talvez tenha sido eu. — Falhar não era do seu estilo. — Será que gelo ajudaria? — De fato, fiquei com pena dele, tanto quanto de seus fios. Suspeitei que seu ego havia sido ferido. Definitivamente, ele não era tão ágil como havia sido. Talvez fosse a vodca. Ele estava acostumado com o uísque.

Fui pegar algum gelo, e uma pequena dose de conhaque. Sabia que, às vezes, ele gostava disso. E não havia nem um Yquem sobrando. Paul tomou um gole do conhaque e apliquei o gelo cautelosamente em seu pescoço e seu ombro. Isso o fez parecer quase humano.

— Steph... — Ele me olhava estranhamente enquanto eu

o tratava e o apoiava em travesseiros. Parecia tão doce e vulnerável quando, subitamente, entrei em pânico, imaginando o que Peter iria dizer se eu o quebrasse.

— É uma bela duma nota para acabar com tudo, não é? — Talvez isso fosse um sinal de que tudo estava realmente acabado entre nós.

— Vamos ter que tentar novamente algum dia? — disse ele, olhando para mim, um pouco tonto por causa do conhaque.

— Acho que não — disse com tristeza.

— Por que não? — Ele era demasiado persistente. Deve ter sido alguma coisa em seu computador.

— Você sabe por quê.

— Por causa dele. — Acenei positivamente com a cabeça, pois não havia necessidade de repetir aquilo. Eu já tinha dito. Antes dele tentar me matar com seu salto quádruplo defeituoso. — Ele não merece.

— Eu acho que sim. — Disso eu tinha certeza.

— Ele não te merece. — Ele parecia tristonho quando disse isso.

— Nem você. — Sorri para ele. — Você precisa de um belo clone como você, com costas fortes e um computador melhor.

— Machuquei você, Steph?

— Estou bem. — Minha vida, de agora em diante, seria estranha sem ele, e eu já me sentia nostálgica pensando nisso. A despeito de mim mesma, sabia que iria sentir sua falta. Quem mais usaria roupas vermelhas colantes e cetim verde-limão, sem mencionar a tanguinha de leopardo? Nunca mais haveria alguém como ele. Nem mesmo Peter. Mas mesmo quando estava deitada ao lado do esplendor nu de seu clone, tudo no que podia pensar era em Peter.

— Por que você o ama?
— Eu simplesmente o amo. Tem tudo a ver.
— Será? — Ele estava me vendo, enquanto me passava o copinho de conhaque e eu dava um golinho. A bebida queimava minha garganta enquanto descia. — Também acho que tem tudo a ver — disse ele então, num sussurro.
— Não recomece tudo — alertei-o, quando notei que seu olho estava machucado. Ele iria ficar com um olho roxo para mostrar, como conseqüência do salto quádruplo.
— Steph... — disse ele novamente. — Tenho uma confissão a fazer.
— O que é agora? — Àquela altura, nada me surpreenderia.
— Eu nunca liguei para ele.
— Quem? Peter? Você tinha que ligar para ele? — Ele também não havia me ligado. Ele provavelmente estava nos braços da irmã gêmea de Helena, em São Francisco.
— Não, Paul.
— Que Paul? — Eu estava cansada, e sua confissão não soava muito intrigante. O conhaque deve ter lhe subido à cabeça.
— Ele ainda está na oficina, sem sua cabeça.
— Quem? — E então, lentamente, enquanto olhava para ele, a força total do que estava dizendo começou a me atingir. Mas não podia ser. Não era possível. Ele nunca iria fazer isso.
— O que você está me dizendo?
— Você sabe o que estou dizendo... Eu não sou ele... Sou eu... — Ele parecia um garotinho ao dizer isso.
— Peter? — disse com a voz rouca, como se o estivesse vendo pela primeira vez, para depois entender o motivo do acidente no meio do salto quádruplo. No fim das contas, não era Paul que estava deitando na cama comigo. Era Peter. E fiquei es-

pantada quando soube disso. — Peter! Você não... você não podia... por que você iria? — Afastei-me para poder vê-lo, mas não havia como distingui-los, exceto pelos ferimentos.

— Pensei que você estivesse apaixonada por Paul quando voltei desta vez. Queria ter certeza. Senti tanto a sua falta enquanto estava na Califórnia... era tudo em que podia pensar. Então voltei e você parecia estar muito triste. Pensei que estivesse apaixonada por ele e não quisesse me ver.

— Eu pensava que você não me amava. — Ainda estava espantada com o que ele havia acabado de fazer e quase irritada, mas ele estava tão debilitado que era difícil ficar tão zangada quanto devia. — Você parecia tão frio... tão distante.

— Eu te amo mesmo. Só pensei que era com Paul que você queria ficar. Pensava que ele era que você desejava.

— Também pensei assim, uma ou duas vezes — disse, sorrindo envergonhada —, mas finalmente cheguei a uma conclusão. Ele não é real para mim... você é. Você é muito mais maravilhoso do que ele. — Intuitivamente, me inclinei e o beijei e ele estremeceu ao meu toque. Mas ele me beijou e, quando o fez, eu sabia a resposta para todas as minhas perguntas.

— Eu não posso fazer o quádruplo — disse Peter, se lamentando —, ou beber como ele. Não sei como o programaram. Vou ter uma bela ressaca amanhã.

— Você a merece — disse, me aninhando ao seu lado e puxando as cobertas que estavam a nossa volta. Ele tremia um pouco. Havia sido uma noite e tanto.

— Há um monte de coisas que não posso fazer como ele — disse Peter, com um braço em volta de mim.

— Você faz melhor a maior parte das coisas. Estou velha demais para todas aquelas acrobacias.

— Estou velho demais para perder você, Steph. Eu te amo.

Klone e eu

Não quero perder isso. — Isso era tudo que eu queria que Roger tivesse dito mil anos atrás, e ele não disse. Peter era aquele pelo qual havia esperado por toda a minha vida. Mesmo que fosse um pouco doido.

— Onde está Paul agora? — perguntei, subitamente curiosa. Era difícil acreditar que ele não havia passado a noite toda comigo... as roupas... as coisas que dissera... o iguana... Peter havia sido terrivelmente convincente.

— Ele está na oficina e vai ficar por lá. Sem sua cabeça. Depois do Natal, você vai para a Califórnia comigo. De agora em diante, quando eu viajar, iremos arrumar uma babá para as crianças e você virá comigo. — Ele me puxou para um pouco mais perto de si, enquanto eu me aconchegava ao seu lado, incapaz de acreditar no que estava ouvindo. Isso era o sonho. Tudo que precedeu esse momento havia sido o pesadelo.

— Por que não pensamos nisso desde o começo?

— Pensei que você iria se divertir mais com ele e não quisesse abandonar as crianças, por isso o ativei para você. Achei que iria gostar dele.

— Eu gostei. Mas as coisas ficaram muito doidas. Preferiria arrumar uma babá e viajar com você.

— As crianças não vão se importar muito, se você as deixar?

— Elas já têm idade suficiente para se virar sem mim de tempos em tempos. — E então pensei em algo que me preocupou consideravelmente, enquanto olhava para Peter. — E quanto ao iguana?

— Considere-o como um último presente de Paul.

— Será que devo? — Esta não era a melhor notícia da noite, mas não queria ferir seus sentimentos ou partir o coração de Sam. Eu só não queria ter que ver a fera no café da manhã, olhando fixamente para meus sucrilhos. Talvez pudéssemos construir uma gaiola para abrigá-lo, ou alugar um apartamento para ele.

— Você aos poucos irá gostar dele — prometeu Peter, enquanto apagava a vela e mais uma vez me puxava para mais perto enquanto afundávamos dentro dos cobertores.

— A última vez em que disse isso, você virou minha vida de cabeça para baixo. Ou foi Paul. — Bastava olhar para trás e me lembrar de suas proezas que, agora, pareciam inacreditáveis enquanto Peter me abraçava.

— De agora em diante, pretendo fazer isso com meus próprios recursos... virar a sua vida de cabeça para baixo. Talvez eu deva manter a calça de lamê dourado como um suvenir — disse ele docemente, pegando no sono enquanto eu o observava, me perguntando como tudo isso havia acontecido. Eu sabia que nunca entenderia tudo completamente. Mas não conseguia deixar de me perguntar se tudo isso não fora uma fantasia da minha imaginação. Era difícil acreditar que havia acontecido. — Eu te amo, Steph... Agora estou aqui — sussurrou ele e de fato estava, enquanto adormecia em meus braços e eu pegava no sono ao seu lado. Ele estava ali, assim como eu. E, agora, eu era dele. No final, tudo parecia tão simples. Pensei em Paul por um milionésimo de segundo enquanto pegava no sono, e sabia que, apesar de tudo, não sentiria a sua falta. Estava acabado. Não precisávamos mais dele. Tínhamos um ao outro. Para sempre. Nós dois de agora em diante, e nada de clone. Só Peter e eu.

Este livro foi composto na tipologia Dutch 766,
em corpo 11/14 e impresso em papel Off-set
63g/m² no Sistema Cameron da Divisão
Gráfica da Distribuidora Record.

Seja um Leitor Preferencial Record
e receba informações sobre nossos lançamentos.
Escreva para
RP Record
Caixa Postal 23.052
Rio de Janeiro, RJ – CEP 20922-970
dando seu nome e endereço
e tenha acesso a nossas ofertas especiais.

Válido somente no Brasil.

Ou visite a nossa *home page*:
http://www.record.com.br